Prier

pour

LÂCHER PRISE

Données de catalogage avant publication

Finley, Guy
    Prier pour lâcher prise
    Traduction de: The lost secrets of prayer.

1. Prière - Christianisme. 2. Réalisation de soi - Aspect religieux - Christianisme. 3. Prières. I. Titre.

BV210.2.F5614 1998   248.3'2   C97-941551-9

© 1998, Le Jour, éditeur,
une division du groupe Sogides,
pour la traduction française

L'ouvrage original américain a été publié
par Four Star Books, Inc.
sous le titre *The Lost Secrets of Prayer*

Dépôt légal: 1er trimestre 1998
Bibliothèque nationale du Québec

ISBN 2-8904-4631-X

DISTRIBUTEURS EXCLUSIFS:

• Pour le Canada et les États-Unis:
MESSAGERIES ADP*
955, rue Amherst,
Montréal, Québec
H2L 3K4
Tél.: (514) 523-1182
Télécopieur: (514) 939-0406
* Filiale de Sogides ltée

• Pour la Belgique et le Luxembourg:
PRESSES DE BELGIQUE S.A.
Boulevard de l'Europe 117
B-1301 Wavre
Tél.: (010) 42-03-20
Télécopieur: (010) 41-20-24

• Pour la Suisse:
TRANSAT S.A.
Route des Jeunes, 4 Ter
C.P. 125
1211 Genève 26
Tél.: (41-22) 342-77-40
Télécopieur: (41-22) 343-46-46

• Pour la France et les autres pays:
INTER FORUM
Immeuble Paryseine, 3, Allée de la Seine,
94854 Ivry Cedex
Tél.: 01 49 59 11 89/91
Télécopieur: 01 49 59 11 96
Commandes: Tél.: 02 38 32 71 00
    Télécopieur: 02 38 32 71 28

GUY FINLEY

PRIER

POUR

LÂCHER PRISE

Traduit de l'américain
par Louise Drolet

 le jour,
éditeur

L'être qui a atteint l'harmonie, et chaque être humain peut l'atteindre, trouve sa place dans l'ordre de l'univers et représente la pensée divine aussi clairement qu'une fleur ou un système solaire. L'harmonie ne recherche rien en dehors d'elle-même. Elle est ce qu'elle est censée être; elle est l'attente du droit, de l'ordre, de la loi et de la vérité; elle est plus vaste que le temps et symbolise l'éternité.

HENRI AMIEL

Introduction
par Ellen Dickstein

E n ouvrant un magazine populaire dernièrement, je tombai sur un article qui relatait les plus récentes découvertes sur le développement du cerveau humain. Les chercheurs ont mis au jour un processus complexe et merveilleusement élégant en vertu duquel un nombre inconcevable de cellules nerveuses sont reliées en réseau à travers des quatrillions de connexions. Ces connexions ne se font pas au hasard, mais suivent un «circuit de câblage» inné. Toutefois, il subsiste un doute quant à la manière dont les instructions pour suivre ce circuit de câblage sont livrées, car les chiffres ne font pas le compte exact: mathématiquement parlant, il n'y a tout bonnement pas suffisamment de gènes pour fournir la quantité innombrable d'instructions requises. Qui plus est, ce processus n'est pas conçu pour être autonome, mais est censé se développer en fonction de l'expérience dans une sorte de danse dans laquelle les informations extérieures pertinentes doivent être reçues à certains moments critiques pour que s'amorce l'étape suivante. Par exemple, la rétine doit être exposée à la lumière pendant une période de croissance spécifique, à défaut de quoi les connexions cérébrales nécessaires à la vision ne sont pas établies et la capacité de voir est annihilée.

Comme c'est souvent le cas lorsqu'ils parlent de ce type de découverte, les chercheurs exprimaient leur émerveillement devant la beauté et la perfection du processus tout entier. Ils étaient stupéfaits de constater non que les choses tournaient mal à l'occasion, mais qu'elles fonctionnaient bien dans un aussi grand nombre de cas.

Ces découvertes stupéfient quiconque est doué d'un soupçon d'imagination, surtout si l'on considère que le processus étudié par les chercheurs n'est qu'un seul parmi les milliers et peut-être les millions d'opérations qui se produisent dans le corps humain seulement. Ajoutez à cela la myriade de processus qui ont lieu tout autour de nous comme la photosynthèse... l'équilibre de la nature (qui fonctionnait plutôt bien avant que les humains ne se mettent à l'«améliorer»)... et l'évolution de l'univers comme tel, avec l'apparition et la disparition incessantes d'étoiles et de galaxies dans une échelle de temps, d'espace et de pouvoir absolu tout à fait inconcevable pour l'esprit humain.

Comment peut-on, en observant les événements même les plus simples de la vie de tous les jours – l'éclosion du printemps, l'activité structurée de la fourmi industrieuse, ou la chatte qui nourrit instinctivement sa première portée – ne pas sentir l'existence d'une sorte d'Intelligence supérieure à l'œuvre dans le cosmos? Même l'athée, qui attribue tout cela au «hasard» ou à une «simple mécanique», est forcé de concéder que ces lois du hasard et de la mécanique sont vraiment prodigieuses.

L'être humain ne peut pas manquer, à un moment ou un autre de sa vie, d'observer tout cela et de s'en émerveiller. Cet émerveillement suscite un désir inné d'entrer en relation avec cette Intelligence, afin qu'elle devienne une expression vivante au sein de sa propre vie. Ce désir semble être universel, car les anthropologues affirment que toutes les sociétés humaines découvertes jusqu'ici ont embrassé une forme ou une autre de croyance et de pratique religieuses. En dépit de cela, il n'est jamais facile d'établir ce lien supérieur, car faire de la place en soi pour Autre chose exige toujours un effort volontaire, une sorte de sacrifice de l'ego.

Pour les gens d'aujourd'hui, qui mènent une vie extravertie, bruyante et centrée sur l'intellect, il est plus ardu que jamais de nouer ce lien. Nous sommes attirés vers un monde extérieur où seuls comptent la position sociale, les possessions et les plaisirs, loin de toute expérience intérieure. L'instruction religieuse, qui met l'accent sur l'aspect social du culte, tend à être dispensée de façon mécanique. Or le lien avec l'Intelligence supérieure peut seulement être forgé par l'individu, seul, dans les recoins les plus secrets de son âme. Le chercheur sincère mais frustré qui, manquant de direction, essaie et échoue, puis essaie de nouveau se demande: «Où est mon erreur? Un dessein grandiose semble gouverner le moindre aspect du monde qui m'entoure, exception faite de ma propre vie. Je suis désorienté et malheureux; incapable de susciter les événements que je voudrais dans ma vie et d'affronter ceux qui surviennent. Pourrais-je créer un lien avec quelque chose de réel et de permanent qui puisse m'aider à comprendre tout cela?»

Oui, cela est possible. Et heureusement, il est possible d'obtenir de l'aide. Il existe des méthodes connues qui ont été transmises de génération en génération depuis l'aube de la conscience humaine. Elles vous sont révélées ici, dans cet ouvrage innovateur de Guy Finley. Guy nous dit: «Il faut mériter le droit de partager le secret de l'Univers.» Vous voyez, il *faut* mériter ce droit. Vous *pouvez* le mériter. Et vous apprendrez comment dans ce livre-ci.

Ce livre est unique de bien des façons. Il représente le point culminant d'une série de conférences échelonnées sur huit semaines que Guy a prononcées sur la prière et l'éveil intérieur. Guy a laborieusement épuré les enregistrements de ces conférences afin de les réduire à leur essence et il a ainsi obtenu huit audiocassettes (cinq heures d'enregistrement).

Enfin, pour produire le livre que vous avez entre les mains, il a de nouveau révisé les transcriptions des bandes en complétant les leçons les plus importantes. Le résultat final réunit le meilleur de deux mondes: il constitue un ouvrage révolutionnaire qui conserve l'instantanéité des conférences en direct tout en assurant que le lecteur puisse suivre le contexte de la présentation tout entière.

En gros, le processus que révèle Guy dans ce livre exige que l'on modifie sa perception des choses. Après tout, cette Intelligence supérieure ou Principe créateur doit s'exprimer partout – dans chaque brin d'herbe, dans le moindre souffle du vent, dans le mouvement des marées. Il doit tout imprégner, y compris nous-mêmes. Pourquoi, dans ce cas, ne le percevons-nous pas? Le blocage est *en nous-mêmes*. Il est nous. Il est formé par le mur de pensées qui nous emprisonne dans le monde limité de notre imagination et nous rend aveugle à la Réalité. Nous n'avons pas d'yeux pour voir ce qui est toujours là. Et c'est ce que Guy nous révèle dans ces transcriptions: des exercices pour modifier son regard afin que le blocage se dissolve, permettant ainsi non pas tant d'établir ce lien supérieur que de le révéler.

Pour beaucoup, prier consiste simplement à demander ce qui semble manquer dans leur vie; et beaucoup jugent cette forme de prière suffisante. Mais la sorte de prière que décrit Guy Finley dans son ouvrage innovateur relève d'un ordre supérieur qui peut vraiment transformer la vie d'une personne. Une fois cette mutation accomplie, la personne ne ressent plus le besoin d'élargir son univers grâce à de nouvelles acquisitions, car elle s'est libérée du monde limité qu'elle s'était créé pour entrer dans le monde parfait de la Réalité comme telle. Le but de la vraie prière, apprenons-nous, n'est pas de demander ce que nous croyons vouloir, mais plutôt de nous amener à abaisser la barrière intérieure qui nous empêche de voir que nous possédons *déjà* tout ce dont nous avons besoin.

À mon avis, vous n'avez jamais rien lu qui ressemble de près ou de loin à la matière qui remplit les pages qui suivent. Tout en l'étudiant, vous reconnaîtrez qu'elle met véritablement en lumière de précieux secrets perdus. Pourtant, les méthodes que propose Guy sont tellement simples et directes que vous comprendrez aussitôt comment les intégrer à votre vie de tous les jours.

La Vérité ne se dérobe pas délibérément à nos yeux. Si nous ne sentons pas sa Présence dans notre vie, c'est *nous* qui sommes en cause. Il y a un élément qui nous échappe. Et dans nos efforts maladroits pour trouver le bonheur que seule la Vérité peut apporter, nous aggravons en fait le malentendu qui nous empêche d'obtenir ce que nous voulons! Les idées parfois stupéfiantes et les exercices simples proposés dans ce livre jettent une lumière fort nécessaire sur cet état de compromis inconscient avec soi-même. Et cette lumière nouvelle engendre une compréhension toute neuve... dont l'effet n'est pas tant de dissoudre les barrières de notre vie que de montrer qu'elles n'ont jamais existé de prime abord. Ce qui donne lieu à une Vie sans compromis.

Mot de l'auteur
Ce que vous devriez voir avant de lire ce livre

Depuis de nombreuses années, je caressais intérieurement un désir impossible que les circonstances me poussent à révéler aujourd'hui. J'aurais voulu que, chaque fois qu'une personne, où qu'elle se trouve dans le monde, s'apprête à ouvrir un de mes livres pour la toute première fois, je puisse être là, en personne, auprès d'elle. Car si je pouvais être là avant qu'elle ouvre le livre et tourne la première page, je lui dirais ce qu'aucun mot écrit ne peut communiquer:

Le livre que vous tenez entre les mains ne renferme pas toute l'histoire, aussi ne commettez pas l'erreur de la chercher <u>ici</u>. Aucun livre comme tel, aucun livre <u>en soi</u> ne peut jamais raconter toute l'histoire – de même qu'un instrument ne peut pas jouer toutes les parties d'une symphonie avec ses mouvements complexes et son harmonie intérieure subtile.

Puis je dirais à cette personne que mon but, en écrivant ce livre, n'était pas d'enseigner, mais bien de *montrer*. Et à mon avis il y a, ici encore, une différence plus grande que les mots ne peuvent l'exprimer, mais que, néanmoins, j'essaierai d'exposer.

Enseignez les océans et les étoiles à quelqu'un qui n'a jamais entrevu l'existence de telles étendues, au moyen uniquement d'images et de faits mesurables, et cette personne...

sans que ce soit sa faute... trouvera seulement un sens du soi dans cette mer de nouvelles connaissances.

Mais *montrez* à cette même personne – emmenez-la en quelque sorte ou encouragez-la à se rendre là où elle pourra *contempler* une étendue d'eau profonde et bleue ou un champ d'étoiles dont l'infinité dépasse l'entendement humain – et elle pourra se perdre dans cet instant de contemplation. Et si ce point crucial n'est pas encore clair, laissez-moi le clarifier davantage.

La vraie vie spirituelle et profondément religieuse exige que l'on accepte de perdre son ego; d'être libéré dans un monde qui ne soit pas mesurable en se rendant délibérément sur le rivage intérieur où l'on perd son identité devant le spectacle que l'on a sous les yeux.

C'est pourquoi je souhaite que vous saisissiez ces différences au début de votre lecture, car le but de ce livre n'est pas de vous renseigner sur un autre monde imaginaire auquel vous espérez accéder un jour, mais de vous aider à voir le monde réel qui se trouve sous vos yeux. À ce propos, j'aimerais souligner un autre point qui non seulement vaut la peine d'être exposé mais qui pourrait aider certains à franchir une passe très difficile dans leur cheminement intérieur.

L'éveil intérieur, prélude à une vie riche en méditation ou en prières qui est, en retour, la pierre angulaire d'une relation consciente avec Dieu, est un travail profondément individuel; ce qui veut dire que grandir en Dieu exige que l'on apprenne à être seul d'une toute nouvelle manière, comme l'illustre l'exemple ci-dessous.

Lorsque vous allez au restaurant avec des amis, vous ne vous attendez pas à être rassasié simplement parce que votre voisin de table mange un savoureux repas. Et s'il en est ainsi dans la vie physique ordinaire, cela est encore plus vrai pour ce qui touche notre satisfaction spirituelle.

Les aspirations et pensées d'une autre personne, aussi inspirantes soient-elles, ne pourront jamais combler le désir de votre âme. L'âme ne désire pas simplement être émue par des vérités attrayantes ou réduite temporairement au silence par ce qui s'avère être l'étreinte écrasante des règles spirituelles. L'âme désire seulement être libérée *par la vérité*; libérée afin de pouvoir exprimer sa vie déjà parfaite par Dieu. Je vous demande une fois encore: voyez-vous la différence?

À l'heure actuelle, la recherche d'une relation avec l'Être suprême nous apparaît comme une suite de combats interminables et de frustrations engendrés par la quête d'une Vérité que l'on nous a appris à croire absente. Tâche irréalisable parce que ni Dieu ni la Vérité ne sont absents. De même que votre cœur ne se trouve pas en dehors de votre corps, la Vérité n'a jamais été hors de portée. Mais elle est obscurcie; masquée au point d'être invisible.

La vision de soi-même provoque un éveil intérieur qui constitue la découverte par excellence. C'est un travail éternel qui entraîne les récompenses éternelles engendrées par la dissolution des obstacles qui nous séparent de la Vie de Dieu.

Dans ce livre-ci, vous verrez que la seule barrière entre vous et les élans de votre cœur est un faux sens du soi que vous avez fini à tort par confondre avec *votre* vie. Ce qui nous ramène à cette solitude qui apparaît en filigrane sur le Chemin de la Vérité. Car maintenant vous entrevoyez que:

Vous devez apprendre à vous détacher de ce que vous avez toujours identifié à tort comme votre moi. Tâche qui devient de plus en plus aisée dans la mesure où vous comprenez que tout ce à quoi vous vous accrochez et tout ce qui exerce une emprise sur vous, n'est en réalité qu'une suite de sentiments éculés et d'idées rebattues; lesquelles, loin de vous élever, vous font tourner en bourrique. Et c'est ici que la vision de ce qui est vrai vous conduit à la Vérité: parce qu'en voyant que votre degré actuel de compréhension de vous-même constitue le seul problème, vous modifiez instantanément ce degré. Et *ce* changement transforme non seulement votre vision de la vie, mais également votre vie. Soudain le vieux dicton «le soleil *brille* toujours derrière les nuages» revêt une nouvelle signification. Et en parlant de jours ensoleillés...

... Notre vie n'est pas censée être une randonnée épuisante à travers une jungle hostile. Nous faisons, tous tant que nous sommes, partie d'une Volonté Invisible Supérieure qui non seulement souhaite notre bien-être total mais encore veille activement à le réaliser à chaque instant. Nous ne sommes pas seuls. Nous ne sommes pas oubliés. Et même si les circonstances de notre vie nous ont peut-être convaincus du contraire, nous avons tout ce qu'il faut pour être satisfaits, confiants, compatissants et simplement heureux.

Ces mots sont choisis avec soin. Ils n'expriment pas de sentiments chimériques ni ne visent à convaincre. Ces vérités sont éloquentes comme le révéleront les idées que vous vous apprêtez à lire.

satisfaction de l'âme

Dans cette vie, au moment opportun, sous une forme ou une autre,
et plus ou moins comme vous l'avez imaginé, vous recevrez
ce que vous avez demandé. N'en doutez pas.

En conséquence, apprenez à surveiller vos requêtes
car rien de ce qui a été conçu ou créé ici-bas
ne peut combler votre âme, sauf le Créateur
qui l'a façonnée à partir de Lui-même.

Nier la preuve quotidienne de votre existence
n'en change pas la réalité: la vacuité parle plus fort que l'entêtement.
Aussi redéfinissez vos priorités en fonction de ces découvertes.

Osez mettre de côté toutes les relations
autres que celles qui révèlent
ce qui est essentiel au désir de votre âme.

Puis, et seulement à ce moment-là, ce que vous demanderez dans
    ce monde
sera la Relation essentielle
pour laquelle vous avez été créé et à laquelle vous êtes destiné:

Quand Dieu sera tout ce que vous connaissez, voyez et espérez
    demander;
quand Il sera votre unique aspiration,
vous ne demanderez plus rien d'autre.

GUY FINLEY

chapitre premier

Comment l'éveil intérieur perfectionne la prière

Il y a une chanson qui est demeurée populaire jusqu'à aujourd'hui et nous étudierons pourquoi elle est devenue un classique. Voici le premier couplet de cette chanson:

Le désir profond de chaque atome est de retourner à sa source divine.

WALT WHITMAN

«J'ai pas mal roulé ma bosse au cours de ma vie. J'ai chanté un tas de chansons. J'ai inventé quelques mauvaises rimes. J'ai passé une grande partie de ma vie sur scène devant des milliers de personnes... Mais nous sommes seuls maintenant et je chante cette chanson pour toi*.»

La dernière ligne de ce couplet renferme un aveu. Dans ce seul passage, l'auteur tente d'expliquer comment toute sa vie l'a mené au point où la seule

---

* I've been a lot of places in my life and times. I've sung a lot of songs. I've made some bad rhymes. I've acted out my life on stages with then thousand people watching... But we're alone now and I'm singing my song to you. Leon Russell, «A Song for You», © 1970 Irving Music Inc. (BMI).

chose qui compte pour lui est résumée dans les mots suivants: «... mais nous sommes seuls maintenant et je chante cette chanson pour toi.»

En général, les gens croient, en écoutant ces paroles poignantes, que l'auteur a finalement quitté les feux de la rampe pour rejoindre sa bien-aimée. Voilà, certes, une interprétation possible. Mais toute musique, parole, poésie ou prose géniale fait toujours allusion à une relation avec quelque chose de supérieur, comme c'est le cas ici.

Toutes les chansons d'amour recèlent une grandeur intangible qui souligne, au-delà de la relation physique, la relation qui existe entre le chanteur ou la chanteuse et l'Amour parfait: l'Amour qui ne trahit pas; l'Amour qui ne se mue jamais en sa forme contraire et laide; un Amour durable. Et la richesse de ce couplet qui se termine par «... mais nous sommes seuls maintenant et je chante cette chanson pour toi» réside en partie dans son contraste avec «J'ai passé une grande partie de ma vie sur scène devant des milliers de personnes».

Voici ce que l'auteur exprime, au fond: «J'ai traversé bien des hauts et des bas dans ma vie et regarde où cela m'a mené: à ce moment de solitude, loin des lumières et des applaudissements. En fait, personne d'autre que nous ne sait que nous sommes ensemble et que je chante cette chanson pour toi. Sans prétention, ouvert et honnête, seul, vulnérable et réceptif.» Depuis que le premier humain en a aimé un autre, *ceci* est l'essence de la prière.

Toutes les religions qui ont jamais vu le jour à la surface de la terre sont fondées sur la prière. Et pourtant aujourd'hui, après des siècles de maturation, la prière reste l'activité la plus méconnue qui soit. Exception faite de la sorte de désir qui amène sur nos lèvres et dans notre cœur les mots que l'on prononce pour se soulager d'un poids non désiré, la plupart d'entre nous n'ont aucune idée de la véritable nature de la prière. Et tout en réfléchissant à *cette* réalité, veuillez prendre note que le fait que nous prions tous continuellement, que nous en soyons conscients ou non, n'est pas sans entraîner d'importantes conséquences.

Pour certains, le mot prière évoque des associations négatives avec le passé; la conviction que ceux qui prient sont forcément hypocrites. C'est pourquoi nous avons secrètement tendance à éviter la prière de nos jours. Ou si une petite partie de nous est attirée par l'idée de prier, nous ne comprenons pas pourquoi la prière demeure une telle énigme à nos yeux. Ce qui nous amène au point crucial suivant: aujourd'hui, la plupart des hommes et des femmes prient pour être libérés d'un certain état, de sorte que leur prière confirme en fait leur lien avec le problème particulier dont ils croient que la prière les délivrera.

Qu'est-ce que cela signifie? Une personne, une de vos connaissances peut-être, dit: «Mon Dieu, je vous en prie, modifiez ma situation ou supprimez-la.» «Je vous en prie, intervenez dans cette histoire.» «Faites que cette personne voie la lumière.» «Je vous en prie, corrigez ceci.» «Je vous en prie, redressez cela... donnez-moi de l'argent.» Comprenez-vous? Cette prière n'est pas nécessairement *mauvaise*, mais elle <u>est</u> *maladroite*. Il faut faire attention ici. Elle est *maladroite* parce que, quand vous priez pour qu'un dieu auquel vous attribuez ce pouvoir redresse une situation néfaste, votre prière ne fait que confirmer secrètement votre existence en tant que personne qui sera toujours perturbée par des situations comme celle-là.

Dieu n'entend pas les prières égocentriques. L'essayiste éveillé Ralph Waldo Emerson fait ressortir cette Vérité oubliée:

«Toute prière qui sollicite un bien particulier – autre que la bonté – est mauvaise. La prière est la contemplation des réalités de la vie du point de vue le plus élevé. Elle est le soliloque d'une âme redevable à Dieu et débordante de joie. Elle est l'esprit de Dieu affirmant que son travail est bon. Mais la prière utilisée comme moyen de parvenir à une fin personnelle n'est que vol et méchanceté. Elle suggère le dualisme et non l'unité de la nature et de la conscience. Dès qu'un homme est uni à Dieu, il cesse de mendier et voit alors une prière dans toute action.»

Quelle sorte de dieu serait celui qui, en exauçant votre prière, vous ancrerait dans la conviction que vous pouvez ou devez souffrir à cause des actes d'une autre personne? Je vous en prie, réfléchissez-y un instant. En effet, si Dieu exauçait cette prière, Il vous condamnerait à la condition de perpétuelle victime. Comprenez-vous? Parce que c'est précisément ce que vous dites: «Je suis une victime. Je vous en prie, débarrassez-moi de la personne qui provoque ces sentiments en moi.» Dieu, la Vérité, la Réalité veut que vous vous éveilliez et abandonniez l'idée qu'une personne portant votre nom puisse être victimisée par quoi que ce soit. Sa relation avec vous et la vôtre avec Lui, vous élève au-dessus de cela. Donc, une prière maladroite est une prière qui actualise votre souffrance de même que l'obscurité qui lui prête vie.

Je dis que ces prières sont *maladroites* plutôt que simplement *mauvaises* parce que mieux vaut prier Dieu de s'occuper de notre problème que de pourchasser la personne avec un marteau! Mieux vaut prier Dieu qu'il vous donne ce dont vous avez besoin pour être heureux que de le voler. Vous devez comprendre que la réalité est à l'échelle, tout comme la vie qui en découle. Et aussi mauvaises que soient la religion et les prières machinales à ce niveau – prier pour être délivré de ses dettes par exemple —, elles ont leur place. C'est pourquoi je dis que si nos prières ne peuvent être «mauvaises», elles sont en général très maladroites.

Vous devez comprendre, en outre, qu'à chaque instant de votre vie, en ce moment même, *vous priez*. Toute attente est une forme de prière. Songez-y. Que vous vous voyiez comme une personne qui prie ou pensiez que la prière n'a pas de raison d'être, vous priez tout le temps. Une fois établi, ce principe nous servira de tremplin pour la prochaine étape.

Pour l'instant, mettez-le de côté.

Savez-vous pourquoi la prière présente si peu d'attraits à nos yeux? Croyez-moi, que vous ayez ou non ressenti cette répugnance silencieuse en vous, elle est présente sous une forme ou une autre. Aujourd'hui, il suffit d'observer des chrétiens ou des juifs hypocrites et cupides, ou tout autre exemple typique, pour être dégoûté de la religion. Cela nous dégoûte parce que nous savons que le commerce de la religion est tout à fait futile. Non seulement il est futile mais si tous ceux qui le prétendent avaient vraiment goûté à un état supérieur, notre monde serait tout à fait différent. Mais la religion mécanique peut expliquer cela aussi.

Selon elle, le terme «sauvé» n'a rien à voir avec l'Homme Nouveau ou la Femme Nouvelle, mais il signifie plutôt que quand nous mourrons, nous irons au Ciel. Ou encore que nous y sommes déjà, mais l'ignorons tout bonnement! C'est ainsi qu'on a des personnes remplies de haine qui pardonnent aux autres et se pardonnent à elles-mêmes sans rien faire intérieurement pour changer. Écoutez. Extérieurement, leur prière s'adresse à Jésus ou à un autre dieu mais intérieurement, c'est elles-mêmes qu'elles prient. Qu'est-ce que cela signifie? Que leurs attentes sont leurs prières. Savez-vous que, quand vous entrez dans un bureau, vous priez pour être accueilli avec le sourire? En venant ici aujourd'hui, vous avez formulé des prières à votre insu.

Quand vous sortirez d'ici, vous irez au restaurant ou rentrerez chez vous et une prière inconsciente vous traversera l'esprit: «Pourvu qu'on ne repasse pas une vieille émission au canal 39.»

Certes, cela paraît plutôt inoffensif. Presque naturel. Pourtant réfléchissez au fait que, petit à petit, j'ai exprimé mes espoirs et obtenu ce que je voulais, mais aucun changement véritable ne s'est produit en moi. Je suis le même homme qu'avant. Je suis la même femme malgré toutes mes attentes. Donc tout ce qui se passe, c'est qu'une foule d'attentes me hantent sans cesse l'esprit – engendrant un nouvel *espoir* d'être heureux après l'autre tout en apportant au mieux, des plaisirs temporaires, au pire, la déception, l'insatisfaction et une frustration croissante. Voilà l'inconscience humaine.

Chaque situation que nous vivons suscite en nous une prière tout à fait involontaire. Jour après jour, les circonstances changent et chaque nouvelle situation met temporairement un nouveau responsable aux commandes*. Et chacun de ces faux moi ne vit que dans l'espoir exacerbé d'extraire du moment une satisfaction quelconque.

Mais peut-être qu'au fond de vous, vous commencez à comprendre que rien dans le monde que vous connaissez en

---

* Aucun de nous n'est une personne unique et entière. Chacun de nous est une pluralité composée de nombreux moi, mais est convaincu qu'il est une entité singulière. À chaque instant, un moi différent peut entrer en scène et pendant qu'il règne, il est persuadé qu'il est la personne complète. Mais en fait, aucun de ces moi n'est réel. Chacun est le résultat d'une conjonction temporaire de conditions, et c'est pour cette raison que nous appelons chaque moi qui entre en scène «le responsable temporaire». D'un instant à l'autre, nos valeurs et désirs changent en fonction de ce responsable. Celui-ci est, d'une certaine façon, les yeux à travers lesquels nous voyons le monde et les pensées qui l'interprètent.

ce moment ne vous apportera la sorte de nouveauté permanente à laquelle vous aspirez. Et c'est précisément ce à quoi ont trait les attentes: au désir de nouveauté. À quoi se rapportent vos prières? Au monde physique. À l'univers tangible. Le voyez-vous? Elles visent à vous procurer la sorte de satisfaction que perçoivent nos sens. C'est pour cela que nous prions. Mais la personne dont la conscience est en train de s'éveiller se dira peut-être: «Hé! un instant! Aucun des plaisirs sensuels pour lesquels je prie – bien que pour moi il ne s'agisse pas d'une prière, c'est le nom que vous donnerez désormais à cette activité – ne me donnera ce que je veux. Ma prière doit passer du monde sensuel – et maintenant nous emploierons un mot autre que spirituel – au monde invisible. Ma prière doit passer du monde visible au monde *invisible* si je veux établir avec la vie une relation qui ne soit pas seulement réactive; qui soit plus qu'involontaire.»

Qu'est-ce que cela signifie au juste? En ce moment, toutes nos prières sont involontaires, n'est-ce pas? Pensez-y. Et laissez-moi ajouter rapidement – même pour ceux d'entre vous qui dites: «Pas dans mon cas. Je m'arrête dans l'intention avouée de prier» – que la plupart de nos prières reflètent nos efforts pour changer en fonction de *notre idée* du changement. Donc même ces prières-là sont involontaires parce que nous avons peur, si nous *ne prions pas*, de rester les mêmes! Donc petit à petit nous en venons à penser: «Je veux obtenir quelque chose de Nouveau, qui *provient* d'un Monde Nouveau; parce que toutes mes demandes ne m'apportent toujours que les mêmes choses encore et encore.»

À ce point-ci, la personne se rend compte qu'elle ne sait pas grand-chose de ce Nouveau Monde dont elle veut obtenir du nouveau. En ce moment, vous savez tout du monde *visible* auquel ont trait vos prières ou vous êtes disposé à découvrir tout ce qu'il vous faut savoir sur lui. Par exemple, si vous vous intéressez à un homme ou une femme, vous trouverez tout ce que vous voulez savoir sur cette personne. Ou si vous voulez gagner de l'argent, rien ne vous empêchera de trouver l'information dont vous avez besoin pour arriver à cette fin.

Mais désormais, vous vous dites: «Je veux en savoir davantage sur ce monde *invisible*. Je veux en savoir plus sur le Royaume de Dieu. Je veux pouvoir méditer sur des choses supérieures. Comment dois-je m'y prendre?»

Vous êtes-vous déjà demandé ce que se réveiller signifiait? Cela signifie passer d'un état de conscience à un autre, comme lorsqu'on sort du sommeil. Donc quand on passe à un état de conscience plus élevé, on se rend compte que l'on dormait dans l'état précédent. Voilà ce que signifie s'éveiller. Chaque fois que vous atteignez un nouvel état d'éveil, vous pouvez voir tous les aspects de votre conscience qui sommeillaient auparavant.

La prière s'adresse toujours à un monde au-dessus de soi. Elle est une sorte de lien entre votre état actuel d'être et l'état plus éveillé auquel vous aspirez parce que vous commencez à comprendre que vous n'avez pas besoin d'élargir le monde dans lequel vous vivez, mais bien de vous en libérer! Et il y a une différence énorme entre essayer de provoquer une expansion par la seule force de sa volonté et comprendre que le monde dont on sent que l'on doit sortir est sa propre création. Dieu a créé le monde aussi grand et complet qu'il le sera jamais. Vous ne pouvez pas agrandir votre univers de cette façon. Ce que vous voulez, plutôt, c'est pénétrer dans un univers qui existe déjà. La prière est une manière de nouer une relation avec quelque chose qui nous dépasse. Ne pensez pas que ce soit simple. Parce que notre degré de compréhension actuel nous pousse à vouloir amener Dieu dans *notre* monde, à intégrer à celui-ci Son royaume supérieur invisible. Mais la nature même qui pense ainsi constitue sa propre barrière. Il faut donc une réévaluation, une nouvelle vision, qui est précisément ce qu'est censée être la recherche de la Vérité. Nous sommes censés voir notre vie sous un nouvel angle.

Notre fausse nature endormie est très mal à l'aise avec la prière – cette volonté d'établir une relation avec un monde supérieur. Elle en ignore tout et ne veut pas la connaître. Il est essentiel que vous compreniez ceci: la plupart du temps, dès que nous commençons à prier, quand nous nous apprêtons à rencontrer Dieu tel que nous Le comprenons, nous nous heurtons à une sorte de barrière. Nous nous disons que cela ne mène à rien, que notre cœur n'y est pas vraiment, nous demandons qui nous croyons berner ou sommes distraits. Et dire «tel que nous *Le* comprenons» est une manière de s'exprimer qui en vaut bien une autre, car personne ne se représente Dieu de la même façon.* Et comme l'explique Hakim Sanai dans l'histoire classique intitulée «Le jardin clos de la Vérité»:

Si vous vous engagez sincèrement dans la prière, toutes vos prières seront exaucées; mais récitez cent prières insincères et vous continuerez de tout bousiller, d'échouer dans votre travail; les prières dites par habitude sont comme la poussière qui s'éparpille au vent. Les prières qui atteignent la cour de Dieu viennent de l'âme.

---

* Je comprends, comme vous devriez le comprendre aussi, que Dieu en tant qu'entité purement masculine est une notion assez récente de l'histoire de la religion. Par exemple, le Dieu de l'Ancien Testament n'était ni masculin ni féminin, mais représentait un équilibre entre ces énergies opposées et complémentaires.

Vous devez à tout prix comprendre que la réalité de votre désir de prier est supérieure à celle de la barrière qui se dresse devant vous. Une fois encore: *la réalité de votre désir de prier est supérieure à celle de la barrière qui se dresse devant vous.*

Que signifie cette affirmation? Quand vous vous apprêtez à prier et pensez «J'aimerais établir une relation avec un monde supérieur», vous comprenez que le monde physique, notre monde sensuel, malgré tous ses conforts naturels, n'est rien.

En fait, plus nous cherchons un bien-être fondé sur le monde sensuel, plus nous devenons irritables quand nos désirs ne sont pas comblés. Ce bien-être est temporaire. Désormais nous voulons un bien-être plus profond. Et que nous le sachions ou non, nos prières sont orientées dans ce sens. Est-ce que vous n'espérez pas un bien-être plus grand? Réfléchissez-y maintenant. Cela est important parce que, au fond, c'est cela que nous faisons. Nous essayons toujours de trouver une façon d'«obtenir plus». Pourquoi? Parce que, pour nous, «plus» signifie «plus» de bien-être. Mais peu à peu nous constatons que le bien-être que nous recherchons dans le monde nous laisse insatisfaits. Nous aspirons à un bien-être plus profond; un bien-être permanent. Nous voulons un bien-être qui ne sera pas ébranlé; qui ne se changera pas en malaise. Et voyant ceci, nous nous tournons peu à peu vers le Monde Supérieur où doit se trouver ce bien-être, car il ne se trouve certainement pas ici.

Donc à ce point-ci, nous nous rendons compte que nous voulons prier et établir une relation avec un monde supérieur, mais que, chaque fois que nous nous apprêtons à le faire, nous nous heurtons au sentiment que nous nous leurrons ou que la chose est impossible; que cela est inutile ou que nous n'avons pas la sensibilité nécessaire pour ce type de travail ou *quoi que* puisse nous chuchoter notre voix intérieure à ce moment-là. Et moi je vous dis que la réalité de votre désir de prier est supérieure à celle de cette barrière psychique. *La barrière* que vous ressentez lorsque vous priez *est réelle pour le niveau du moi qui la perçoit.* Mais il existe une Réalité qui transcende *ce* moi et son niveau limité. La réalité du Monde supérieur dépasse de loin la réalité du monde dans lequel vous êtes bloqué. Ce qui signifie que vous devez vous relier au Monde supérieur en ne prêtant pas attention à ce que vous percevez comme une barrière en vous.

Dieu veut que vous établissiez une relation avec Lui plus que vous pouvez même l'imaginer. Votre vie tout entière, que vous en soyez conscient ou non, est fondée sur le fait que vous êtes toujours en contact avec votre Créateur. Il y a une partie de vous-même qui, d'une manière ou d'une autre, vous a poussé à vous tourner vers un monde supérieur pour obtenir ce bien-être plus profond. Et la partie de vous qui vous pousse à chercher la Réalité de cette Vie supérieure dépasse *de loin* la réalité de la petite barrière que vous ressentez en vous. Elle vous tire littéralement vers elle. Donc au lieu de vous laisser arrêter comme d'habitude par cette minuscule barrière et de vous dire: «Je ne peux pas. Je suis bloqué» ou quoi que vous disiez, *demeurez là où vous êtes,* avec votre nouveau désir; avec votre prière tranquille qui semble tout à fait insuffisante devant l'obstacle.

Oui c'est cela! Restez là avec vous-même et votre incertitude et il se produira une chose remarquable. Vous vous désintéresserez petit à petit du blocage intérieur que vous ressentez. Vous verrez de plus en plus clairement ce que vous êtes, ce que vous avez, à quoi vous ressemblez. Lorsque vous vous tenez devant Dieu, c'est comme si vous vous teniez devant un miroir qui vous montre votre vrai «soi», et la vue de ce «soi» vous donne envie de quitter le monde limité dont vous faites partie pour adhérer à un Monde

Supérieur. Donc tout va pour le mieux. C'est ce dont je parle quand je dis que la réalité de votre désir de prier est beaucoup plus grande que les barrières qui se dressent devant vous. Le succès est assuré pour l'homme ou la femme qui veut s'élever au-dessus de son univers restreint.

Rappelez-vous ce que vous avez appris jusqu'ici sur la prière. Vous récitez constamment une sorte de prière. La première chose à faire, c'est de reconnaître les sortes de prière que nous récitons constamment. Puis, lorsque nous comprenons mieux le monde que nous avons créé, nous pouvons commencer à faire en sorte de mieux comprendre le monde que Dieu a déjà créé pour nous. Nous pouvons nous efforcer de laisser ce qui appartient déjà au Monde supérieur s'exprimer dans notre vie. Nous pouvons laisser les choses suivre leur cours – ce qu'elles feront – si nous sommes disposés à prendre les mesures préalables.

Leçons propices à l'auto-analyse

Dieu, la Vérité, la Réalité veut que vous vous
éveilliez et abandonniez l'idée qu'une personne
portant votre nom puisse être *victimisée* par quoi
que ce soit parce que Sa relation avec vous,
et la vôtre avec Lui, vous élèvent *au-dessus* de cela.

☾

Toute attente est une forme de prière.

☾

Vous n'avez pas besoin d'agrandir le monde dans lequel
vous vivez, mais de vous en libérer!

☾

La barrière que vous ressentez quand vous priez est réelle
pour le niveau du moi qui la perçoit, mais il existe une
Réalité Supérieure qui transcende ce moi coincé
<u>et</u> son niveau de vie limité.

☾

Dieu veut que vous établissiez une relation avec Lui plus que vous
pouvez l'imaginer.

LA CONTEMPLATION DE L'ÉTERNITÉ
REND L'ÂME IMMORTELLE.

THOMAS TRAHERNE

chapitre 2

Se détacher de l'ego pour le dépasser

Acceptez-vous de vous regarder vous-même, d'examiner votre vie pendant un instant en réfléchissant à l'idée cruciale qui suit? *Chacun de nos chagrins, chacune de nos souffrances découle du fait que nous croyons à tort posséder un pouvoir ou un bien.* Avez-vous déjà éprouvé une souffrance ou un chagrin qui n'était pas relié au fait que vous vous étiez attribué un pouvoir ou un bien qui ne vous appartenait pas – même la perte de votre mère ou de votre père, que leur âme repose en paix. La douleur que vous avez ressentie découlait du fait que vous avez cru posséder une chose permanente qui ne pourrait jamais vous être enlevée. Or elle vous a été enlevée et vous avez pleuré. Pas tant, soit dit en passant, sur la situation qui changeait ou la personne qui partait, que sur le «vous» qui restait derrière et ignorait désormais qui être en l'absence de la situation ou de la personne à travers laquelle il se définissait autrefois.

La religion est la première et la dernière chose, et tant qu'un homme n'a pas trouvé Dieu et été trouvé par Dieu, il n'a ni commencement ni fin.

H.G. Wells

Encore une fois, vous ne pourrez pas trouver une souffrance ou une peine qui n'est pas reliée d'une manière ou d'une autre à un pouvoir ou un bien que vous croyiez posséder.

Je vous invite à accepter cette vérité en examinant votre vie. «Voyons voir. J'ai été blessé à tel moment. Pourquoi? Je la voyais comme ceci. Je le voyais comme cela. Je voyais mon travail de telle façon. Je voyais notre gouvernement comme cela.» Il y a toujours un pouvoir ou un bien que l'on croit être le sien. Qu'en pensez-vous? Êtes-vous parfois stupéfié de constater à quel point vous vous sentez impuissant au moment où vous avez le plus besoin de pouvoir? Vous voici, tout va pour le mieux dans votre vie – comme cette vieille blague dans laquelle une personne trouve un chèque de cinquante mille dollars dans son courrier! Puis le téléphone sonne et quelqu'un dit: «Avez-vous reçu le chèque que j'ai envoyé par erreur?» Vous comprenez cela. Votre vie est une suite de hauts et de bas comme si vous étiez attaché à des ficelles invisibles qui sont actionnées par quelqu'un d'autre ou par un mécanisme quelconque.

En fait, à un moment donné, vous commencez à vous rendre compte que certaines parties de vous sont reliées à quelque chose que vous ne comprenez pas. Et *ces parties-là* veulent une chose que la *totalité* de votre être ne désire pas. Laissez-moi traduire cette dernière phrase: vous commencez vraiment à comprendre ceci: «J'avais promis de ne plus jamais...», complétez la phrase «entrer en rapport avec cette personne», «manger ce type d'aliment», «acheter ce genre de chose», «organiser des vacances comme celles-là», «parler à quelqu'un dans cet état-là». À vous de choisir. Chacun d'entre nous, encore et encore, a dit: «Je ne serai ou ne ferai plus jamais cela ou je ne revivrai plus jamais cela!» Et encore et encore, nous nous surprenons en train de faire exactement la même chose. La personne change peut-être, l'endroit ou le scénario est différent, mais intérieurement il se passe la même chose. Oui ou non?

Combien de fois avez-vous fait cela? Pouvez-vous dire «bien des fois»? Tant de fois, en fait, que cela commence à faire partie de votre vie. D'abord vous vous attribuez le mérite d'être quelqu'un qui peut franchir l'obstacle à la nage puis l'instant d'après, vous vous blâmez pour vous être laissé entraîner. Et c'est ce qui se passe: mérite et blâme, mérite et blâme, mérite et blâme. «Je suis fort», «Je suis faible», «Je suis sage», «Je suis bête». Reconnaissez-vous ce schéma?

Puis à un moment donné, la personne s'arrête et dresse une autre sorte de bilan. Elle se rend compte qu'il y a une partie d'elle-même – et c'est un des éléments clés de notre étude – qui *a du pouvoir sur elle*. Et que la volonté de cette partie est plus forte que celle de toutes les parties d'elle-même réunies. Vous comprenez? Il y a une partie de moi qui veut seulement faire ceci ou participer à cela, et chaque fois que je cède, j'ai mal. Or cette *partie* de moi-même qui me commande est plus puissante que la «totalité» de moi-même, même si celle-ci ne veut pas lui obéir. Cette idée est une révélation quand on est honnête avec soi-même parce qu'elle nous montre un aspect de nous que nous répugnons à voir. Comme l'a dit saint Paul: «Je ne fais pas le Bien que je voudrais faire, mais plutôt le mal que je ne veux pas faire.» Ce qui nous amène à ce que j'aime appeler «une rencontre du type véridique»:

La totalité de mon moi n'est pas aussi forte qu'une seule partie de moi. Comment est-ce possible? Pourtant, c'est un fait, mais heureusement, on peut l'expliquer. Il y a toujours une explication quand on sait où regarder! Et, en passant, cette capacité de dévoiler la Vérité fait partie de la Grandeur qui réside en vous. Disons, pour l'instant, qu'il y a quelque chose en vous qui peut voir. Qui peut comprendre qu'il ne suffit pas de vivre sa vie en *pensant* que l'on pourra découvrir et gouverner ce magnifique territoire inconnu un jour.

Il doit venir un temps où la personne, homme ou femme, se rend compte que le découvreur, soit lui-même ou elle-même, possède des parties qui ignorent tout à fait qu'elles sont dressées les unes contre les autres. Puis un jour, cet homme ou cette femme dit: «Comment une partie de moi-même peut-elle diriger ma vie? Comment est-ce possible quand la totalité de moi-même sait qu'il ne devrait pas en être ainsi, quand la totalité de moi-même est convaincue que si j'y mettais vraiment tout mon cœur je pourrais l'arrêter? Puis il ne se passe rien, sauf que cela continue.» Mais pour certains hommes et certaines femmes, il se produit autre chose et laissez-moi vous dire ce que c'est. Ils entrevoient que *ce qu'ils voient comme la totalité de leur moi ne l'est pas du tout.* Cela n'est qu'une idée. C'est tout, juste une idée imaginaire concernant un pouvoir imaginaire qui est toujours présent, sauf quand on a besoin de lui!

Oh! comme elle est unique, je le pense vraiment, comme elle est rare la personne qui comprend qu'elle a besoin d'une force différente, d'une confiance en elle qui ne l'abandonne pas toujours au moment où elle en a le plus besoin! Comprenez-vous ce que je veux dire? Reprenons lentement. Quand avez-vous des ennuis? Vous avez toujours des ennuis quand il est trop tard pour que vous vous en rendiez compte. Autrement dit, c'est seulement une fois dans le pétrin que vous vous rendez compte que vous n'étiez pas présent, que la totalité de vous n'était pas présente pour vous empêcher de vous mettre dans le pétrin.

De temps en temps vous pouvez voir au-delà du tournant de la rivière, vous pouvez «les» voir venir. Mais en général, quand vous souffrez, vous êtes immergé *dans* la souffrance et c'est seulement *alors* que vous pensez: «Que s'est-il passé? Où étais-je? Comment ai-je pu être si endormi?»

En d'autres mots, où étais-«je» quand j'ai fait cela? Je dis «je» littéralement, aussi je vous en prie, prenez votre temps et lisez la question suivante aussi lentement que nécessaire pour en saisir la vaste portée. Où était le moi qui regrette maintenant de se trouver là quand le moi qui m'a mis dans le pétrin était occupé à accomplir une action que je regrette maintenant? Où étais-je? Voilà des questions que les hommes et les femmes ne se posent pas sauf d'une manière passagère afin de pouvoir affirmer temporairement qu'ils sont plus avisés et que cela ne se reproduira plus. Et puis cela se reproduit encore et encore! C'est ce que j'appelle la ronde du «bon gars et du mauvais gars».

Avez-vous déjà remarqué que votre policier intérieur, qui est un «bon gars», surgit toujours *après* le vol? Il est rarement là, sinon jamais, pour l'empêcher. Guindé, autoritaire, il apparaît chaque fois qu'il y a un problème et demande: «Qui a fait le coup?» Comme si le «je-bon gars» était réel; comme s'il avait de l'autorité. Ce qu'il nous faut, c'est une Réelle autorité; une qualité qui précède nos faiblesses secrètes. Et voilà où je veux en venir: quand une personne éprouve cet ardent désir d'être précédée par cette autorité, c'est à ce moment qu'elle souhaite établir une relation avec quelque chose qu'elle ressent en son for intérieur.

C'est ici qu'intervient la prière. Son but est d'établir en vous, et cela est vraiment préliminaire, un nouveau sens du soi qui ne passera pas; qui restera quand tout le reste passera. Et vous commencez à comprendre que la seule partie de vous-même qui soit stable est, en fait, supérieure à vous. Elle n'est pas reliée au passage du temps, aux méandres des relations, à ce à quoi vous êtes relié actuellement. Et à mesure que cette soif nouvelle *se* fraie un chemin à l'avant-plan de votre vie, vous vous dites: «Je veux...». Il s'agit là d'un pas de géant, et j'aimerais que vous le fassiez avec moi: «Je veux *être* différent.» Non pas «Je veux *quelque chose* de différent», mais «Je veux *être* différent». Et *ce* souhait-là mène le chercheur dans une direction entièrement nouvelle. Entièrement.

Auparavant, vous priiez pour obtenir ce que vous pensiez devoir posséder pour être heureux dans la vie. Mais maintenant vous comprenez que le but de votre vie intérieure, de vos moments de quiétude... vos séances assises, vos prières, votre méditation soutiennent votre désir d'être différent et non de posséder autre chose; vous voulez posséder une qualité qui soit là quand vous en avez besoin. Et cela fait une énorme différence. Parce que, pour la première fois, vous avancez dans la bonne direction. Pour la première fois, la vraie prière commence à naître en vous, parce qu'elle naît de la compréhension de votre *véritable* condition. Elle naît de la compréhension de votre *besoin* d'être différent:

Le nouveau besoin de vivre sans chercher à lire dans chaque visage si je suis une bonne personne ou non.

Le nouveau besoin de ne pas m'inquiéter de la hausse ou de la baisse du marché boursier.

Le nouveau besoin d'être bien dans ma peau, quel que soit le temps qu'il fait ou la nourriture qu'on me sert.

Le nouveau besoin qui peut se passer d'alcool ou de drogue. De divertissements. De télé.

À vous de découvrir dans quelle direction les *parties* de vous-même conduisent la *totalité* de votre moi. Vous trouverez votre nouveau besoin particulier, celui qui vous conduira à votre Nouveau moi. Il est merveilleux de croire que la grâce descendra sur nous et prendra les choses en main. Bien que ce soit rare, cela peut arriver, mais nous devons apprendre les techniques susceptibles de nous aider. Et pour cela, nous avons besoin de directives.

Notre profond désir d'établir une relation avec un monde supérieur ne cesse de croître parce que nous commençons à voir – par nous-mêmes – dans notre état spirituel actuel – que nous ne pouvons pas faire ce que nous savons devoir faire. Et c'est là l'important. Nous pensons: «J'aimerais entrer en contact avec quelque chose qui me donnerait une perception différente de moi-même, mais j'ignore comment m'y prendre.» Ou «J'ai essayé de commencer – je vous demande de compléter ici – mais je sais prier uniquement quand j'en ai envie. Et quand je n'en ai pas envie, il n'y a rien en moi qui s'y intéresse le moindrement. En fait, je préférerais laisser tomber toute l'affaire.» Arrêtez-vous un moment pour réfléchir à cette constatation. Cela n'équivaut-il pas à dire qu'une partie de vous vous gouverne en entier encore une fois? Parfaitement. Et cette partie opiniâtre de vous-même ne veut pas ce que la totalité de vous commence à voir comme un élément vital de son bien-être spirituel véritable et permanent. Et la *connaissance* de cette vérité est essentielle parce qu'elle *vous* permet d'entrevoir un principe qui est la clé du Royaume.

Chaque fois que vous vous apprêtez à prier, que vous vous arrêtez pour goûter un moment de calme intérieur, rappelez-vous que vous ne le faites pas pour vous-même. Veuillez réfléchir à ce qui suit: si vous passez un «mauvais quart d'heure», c'est que *vous pensez à vous-même* et à ce que *vous* voulez. Et ces moments s'opposent à ceux que vous appelez inconsciemment les «bons moments», soit ceux où vous ressentez une communication profonde, où vous êtes en contact avec *mon* pouvoir, *ma* révérence, *ma* joie, *mon* extase ou quoi que ce soit d'autre. Naturellement, si vous vous arrêtez et ne trouvez rien d'autre qu'un mental bruyant et insatisfait, vous pensez: «Je suis quelqu'un d'affreux.» Le voyez-vous? Mérite, blâme, mérite, blâme. Tant que ce faux moi *vous* force à jouer *son* jeu, vous ne saurez jamais ce qu'est la vraie prière et ce qu'elle peut vous apporter. Or il n'y a qu'une façon de quitter ce terrain de jeux.

Vous devez vous surprendre en train de vous accrocher à vous-même quand, au fond, vous aspirez à lâcher prise et à vous laisser emporter par quelque chose qui se trouve *au-dessus* de vous. Vous devez surveiller la partie de vous-même qui est tout absorbée dans la commisération: «Quel être noir je suis. Comme je suis faible. Comme mon mental est bavard.» Vous devez vous surprendre en train de ne penser qu'à vous-même. Et à ce moment-là, rendez-vous compte que c'est *là* justement que réside le problème, et non la solution.

Si vous pouvez vous surprendre en train de vous accrocher à vous-même tout en disant: «Je voudrais m'accrocher à un état supérieur», vous détiendrez pour la première fois un élément qui vous aidera à prier. Et savez-vous ce qu'est cet élément? La compréhension que votre vie de prière, votre vie intérieure, ne se rapporte pas à vous tel que vous vous connaissez. Ce qui, en passant, explique pourquoi il est si difficile de transmettre un enseignement spirituel. Parce que, tout ce que nous savons faire, c'est nous chercher nous-mêmes dans nos propres pensées.

Vous ne pouvez pas rechercher quoi que ce soit dans vos prières. Vous êtes censé chercher à *donner* et non à *obtenir*. C'est une chose d'attirer inconsciemment à soi, c'en est une autre d'être consciemment ouvert à une réalité nouvelle.

Il existe quelque chose de plus grand que vous. Et dans l'ultime paradoxe de la vie spirituelle, la seule façon de le savoir consiste à découvrir à quel point vous n'êtes rien. Ne laissez pas cette idée vous désorienter. Car la découverte de cette «vacuité» *agrandit* votre vie au lieu de la rapetisser. Car c'est en découvrant ce «vous diminué» que vous perdrez votre arrogance et toutes les parties dont vous êtes tant épris qui agissent en votre nom. Leur disparition permettra à ce qui a toujours été à l'intérieur de vous, inhérent à votre être et attendant de faire surface, de sortir au grand jour. Mais vous devez vous y donner tout entier – c'est là toute la question – vous devez vous y donner profondément. Vous devez passer aux actes, chercher votre Voie... et celle-ci vous apparaîtra.

Leçons propices à l'auto-analyse

Tous nos chagrins ou souffrances découlent du fait que nous croyons à tort posséder un pouvoir ou un bien.

☾

Pour découvrir les vrais pouvoirs dont vous avez besoin pour tenir la barre de votre vie, vous devez d'abord comprendre les faux pouvoirs qui la régissent actuellement.

☾

Tous les changements secrets que vous voulez apporter à ce que vous êtes perpétuent ce que vous êtes.

☾

C'est la principale préoccupation de la pensée que de convoiter ce qui se trouve tout juste hors de sa portée ou d'être insatisfaite de ce qu'elle possède, de sorte qu'une fois son désir assouvi, elle *doit* convoiter quelque chose de «nouveau».

☾

Pour comprendre comment sortir du cercle de l'ego, vous devez voir ce cercle dans sa totalité; lorsque vous l'aurez vu en entier, vous comprendrez qu'il ne possède rien de bénéfique à ce que vous êtes ou voulez vraiment.

SI NOUS POUVIONS PÉNÉTRER LA RÉALITÉ ÉTERNELLE DE NOTRE ÊTRE, NOUS TROUVERIONS DANS CHAQUE SITUATION LA SEULE SOLUTION QUI SOIT TOUT À FAIT APPROPRIÉE À NOTRE PROPRE VÉRITÉ.

MAURICE NICOLL

chapitre 3

Étendez votre essence
dans le monde nouveau

Nous allons faire un exercice que je trouve passionnant et qui, je l'espère, vous enthousiasmera autant que moi. Nous allons redéfinir la prière; vraiment la redéfinir. Nous allons prendre votre définition de la prière, la déchirer en mille miettes et la jeter aux rebuts, puis nous en élaborerons une nouvelle qui soit aussi un mode de vie. C'est-à-dire non pas une activité que vous réservez au dimanche ou, si vous avez cette habitude, pratiquez le matin au réveil (ce qui vaut mieux que la réserver au dimanche) ou avant les repas. Nous allons transformer l'idée de la prière pour vous montrer que la vraie prière consiste à prolonger, consciemment, votre essence; et cette prolongation vous permettra de trouver un «soi» qui dépassera votre soi actuel.

Notez comment vous connaître vous-même. Pour se connaître, un homme doit exercer une surveillance constante sur lui-même et maîtriser ses facultés extérieures. Il doit poursuivre cette discipline jusqu'à ce qu'il atteigne un état de lucidité... Le but est d'atteindre un état de lucidité – un nouvel état du moi. Il est de vivre maintenant, où l'on est présent à soi-même. Ce que je vous dis, je le dis à tous: «Réveillez-vous.»

MAÎTRE ECKHART

45

Nous voulons tous être «plus grands», n'est-ce pas? J'entends par là que nous voulons devenir *meilleurs*. Nous savons tous, ou du moins sentons, que nous sommes promis à une existence plus vraie et supérieure; que nous sommes censés ressentir, par exemple, un amour inconditionnel. Nous savons que nous sommes censés pouvoir distinguer, dans la rue, entre le filou paresseux et le pauvre hère qui a vraiment besoin d'aide. Nous savons que nous devons être plus grands que nos ambitions, nos haines et nos ressentiments mesquins. Nous *savons* cela et pourtant nous ignorons *comment* nous y prendre. Par exemple, voici un homme qui pense pouvoir dépasser la souffrance constante que lui cause son ambition étroite: il lui suffit de pousser celle-ci au maximum jusqu'à ce qu'il obtienne ce qu'il pense vouloir et, fort du bien-être qu'il tirera de sa richesse nouvellement acquise, il sera un être meilleur. Mais ce n'est pas le cas.

Ce qui nous intéresse aujourd'hui, c'est de savoir comment comprendre un certain aspect de notre nature profonde. Il y a une partie intégrante de vous qui, loin d'être restreinte dans sa portée, peut dépasser les parties de vous-même qui sont limitées et entravées. Et les dépasser encore et encore… pour atteindre chaque fois un Nouveau soi qui soit plus grand que vous.

Commençons. Êtes-vous d'accord pour dire – oui il s'agit bien d'un jeu-questionnaire! – que le mental est censé être supérieur au corps? Très bien. Tout le monde sait cela.

Si je vous demandais comment vous le savez, vous seriez incapable de répondre. Vous le savez, c'est tout. Je précise ici que nous ne parlons pas du cerveau. Le cerveau est le corps. Il n'est pas différent du corps. En fait, d'une certaine façon, bien que ce soit lui qui commande, certaines de ses parties s'opposent en fait à d'autres parties du corps. Le cerveau est le corps. Mais le mental n'est pas le corps et le mental est censé être supérieur au corps, n'est-ce pas? Oui? Très bien! Le vôtre l'est-il? Je vous ai eu, n'est-ce pas? Votre corps gouverne votre mental. N'ayez pas l'audace de me contredire. Votre corps gouverne votre mental en ce sens que la recherche du bien-être et du plaisir et la fuite de la douleur l'emportent souvent sur ce que vous savez être meilleur et vrai pour vous. «Fais ceci, fais cela, viens ici, va là.» Il arrive que le mental proteste, mais comparé au corps, ce n'est rien, n'est-ce pas?

Comment se fait-il que votre mental, qui est censé être supérieur à votre corps, soit en fait *asservi* à votre corps? Comment cela se produit-il? Écoutez bien ceci.

Votre corps est un véhicule à trois dimensions. Pour qu'un mécanisme puisse gouverner trois dimensions, il doit être au moins égal sinon supérieur à celles-ci. Notre corps a une existence tridimensionnelle, mais notre *mental* est, en fait, bidimensionnel. Qu'est-ce que j'entends par bidimensionnel? *Le mental ne fait qu'avancer et reculer.* C'est un captif non éclairé de son propre état latent qui peut seulement fonctionner dans des dimensions *contraires*. Examinons de plus près comment ce triste état a vu le jour.

Que connaissez-vous en *profondeur*, selon vous? Laissez-moi préciser ce que j'entends par «connaître», car cela est important. En réalité, *connaître* équivaut à *être*. Les gens ne pensent pas ainsi de nos jours. Si vous demandez à quelqu'un «Que connaissez-vous?», il pourra très bien vous répondre: «Je parle une langue étrangère, je peux commander du vin en italien, je connais la différence entre un tissu de bonne qualité et un de mauvaise qualité, je connais les meilleurs magasins, je sais comment flatter les gens et les amener à faire ce que je veux de manière à me hisser au sommet. Je connais ceci et je connais cela.»

Et moi je vous dis que vous ne *connaissez* rien! Et c'est cela le problème! Parce que, comment pouvez-vous mener une vie si remplie de ce que vous et moi avons été conditionnés à accepter comme étant le savoir, quand en dépit de *tout* ce savoir, rien ne marche rondement? En dépit de tout ce savoir, nous ne connaissons pas de bien-être profond et immuable. Malgré tout ce savoir, il n'y a personne parmi vous qui *connaisse* quoi que ce soit au-delà de cette vie physique. Vous ignorez ce qui vous arrive quand vous mourez. Vous prétendez le savoir. Vous lisez un livre qui dit ce que vous voulez entendre, vous épousez ses concepts, puis vous dites: «Je sais.»

Je vous dis qu'il y a une forme de connaissance qu'une personne non seulement est censée posséder, mais sans laquelle elle n'est pas un être humain réel. À titre d'exemple, la *compassion* est une forme de connaissance. L'amour est une forme de connaissance. Et vous ne pouvez pas dire que vous *connaissez* les qualités que sont la compassion et l'*amour* tant que vous n'aurez pas plongé le regard dans l'âme de l'être humain qui se trouve en face de vous et connu cette âme aussi bien que la vôtre. *Alors seulement* vous connaissez! En attendant, vous ne connaissez rien. Vous devinez ou manipulez.

Nous sommes donc placés devant une question importante à savoir que nous vivons actuellement dans un état de non-connaissance tout en prétendant le contraire. Comment en sommes-nous arrivés là? Comment en sommes-nous venus au point où, dans cet état du moi triste et très diminué, nous sommes persuadés que notre colère égale notre intelligence? Comment cela est-il arrivé? Comment en sommes-nous venus à ne rien *connaître* vraiment? Vous êtes-vous déjà posé ces questions? Je vous les pose maintenant parce que nous pouvons nous révéler – à nous-mêmes – la réponse: nous avons reçu les pouvoirs nécessaires pour prier et recevoir le vrai fruit de ces prières. Voyons donc les réponses que nous trouverons.

La condition dans laquelle l'humanité, dont vous et moi faisons partie, se trouve en ce moment est attribuable à deux facteurs: en premier lieu, *nous possédons une nature encline à la facilité*. Nous allons clarifier ceci dans un instant. En second lieu, cette nature portée vers la facilité a *aussi* tendance, en raison de ce qu'elle est, à accepter l'autorité. Allons lentement.

Toute nature qui aime la facilité ou tend vers elle est quoi? *Passive*, n'est-ce pas? Elle n'est pas active. Elle est passive. Qu'est-ce que cela veut dire? Cela veut dire qu'advenant un problème, elle dit: «Je veux que ce problème disparaisse, mais s'il ne disparaît pas, je veux au moins une explication.» Cette nature qui est en nous demande sans cesse:

«Pourquoi a-t-il agi ainsi?»

«Pourquoi le gouvernement a-t-il fait cela?»

«Qu'est-ce qui a provoqué cette situation?»

«Pourquoi faut-il que cela arrive?»

Et si nous n'arrivons pas à accepter la situation, nous voulons qu'on nous l'explique afin de pouvoir retourner à nos occupations. Voyez-vous ce trait en vous? Cela est important parce que ce phénomène se reproduit constamment. Et comme vous le verrez, ce trait est plus profondément ancré en nous que nous le croyons. Cette tendance à la *facilité* et la *soumission à l'autorité* qui en résulte nous portent à croire que nous savons, mais, au fond, il n'en est rien. Veuillez réfléchir à ce court résumé jusqu'à ce que vous en discerniez la véracité. Les enjeux sont importants.

Maintenant, regardez la réalité en face. Cette passivité psychologique qui, avec d'autres qualités déplorables, nous caractérise est facile à influencer ou à hypnotiser. Qu'entends-je par là?

Quand vous vous heurtez à un problème, quand un incident désagréable vous arrive, quelle est la première chose que vous voulez en général? Vous voulez que quelqu'un intervienne et redresse la situation, n'est-ce pas? Enterrons le problème dans le sable ou écartons-le du chemin. Nous ne voulons pas nous en mêler. Et si vous connaissez la solution, nous vous écouterons.

Nous sommes donc devenus des créatures *contentes d'elles-mêmes* plutôt que des êtres humains éveillés. Cela veut dire que nous cherchons activement (ce que nous appelons activement) des réponses à la vie seulement quand la vie nous ébranle. Je vous en prie, regardez-vous! Vous cherchez une solution uniquement quand vous souffrez. Vous voulez que votre vie ait de la profondeur quand vous vous rendez soudain compte que, pendant tout ce temps, vous barbotiez dans les hauts-fonds tout en vous prenant pour une personne à l'esprit profond. Et quand vous vous mettez en quête des réponses ou de la profondeur dont vous vous voyez soudain dépourvu, vous appelez cela être actif. Il est crucial que vous vous en rendiez compte parce que cette sorte de «réflexe rotulien» – qui survient après une chute – n'a rien à voir avec le fait d'être actif. Il illustre le fait d'être – et de vivre avec – un esprit bidimensionnel. Pourquoi un esprit bidimensionnel? Parce que *le moi qui réagit devant l'obstacle ou la crise est en soi une création de la crise.*

La nature qui surgit à ce moment-là pour corriger votre vie indisciplinée existe seulement parce que vous vous trouvez soudain sans réponse; voici qu'apparaît le «moi» qui redressera la situation pour vous. Vous pensez que vous faites quelque chose pour régler le problème activement, mais il n'y a pas du tout de «vous»! Il y a seulement un responsable temporaire, un faux moi qui a surgi de cette fausse nature et s'est emparé temporairement de votre énergie, de votre pouvoir et de vos émotions afin d'élaborer une ligne de conduite.

Maintenant assemblez les pièces du casse-tête! Le problème tient au fait que ce faux moi fait partie de cette nature passive, satisfaite d'elle-même, hypnotisée et influençable qui recherche le bien-être et ne veut pas être dérangée. Elle suit presque toujours le chemin battu de la moindre résistance pour arriver au plus grand bien-être. C'est ainsi que notre vie – en raison de la nature même qui nous guide et de ses agissements – rétrécit constamment. Et nous commençons à ressentir (cela va de soi, en passant) la douleur de cette autolimitation inconsciente.

La personne se dit: «Toute ma vie, je n'ai jamais fait autre chose que... j'ai toujours été une marionnette...» Comme ce pantin qui fait quelques pas, se cogne au mur, exécute un demi-tour vers la gauche, avance encore un peu, se heurte à un autre objet, fait encore un demi-tour. Certaines personnes tombent dans l'escalier en se tournant ainsi mécaniquement; d'autres foulent de la poussière d'or par hasard et s'écrient: «La fortune m'est tombée dessus.» Et tous ces gens sont les mêmes, *exactement* les mêmes. Et – écoutez-moi – tous le savent au fond de leur cœur. Ils savent qu'ils ne comprennent pas ce qu'ils font ni pourquoi ils le font.

Vous connaissez sans doute le proverbe «Aide-toi et le ciel t'aidera». Eh bien! voici une histoire qui vous aidera à comprendre comment vous pouvez formuler une toute nouvelle sorte de requête qui vous assurera l'obtention d'une aide supérieure.

Il était une fois un journaliste qui travaillait au service de publicité d'une compagnie de navigation et voulait se bâtir une réputation. Comme il demandait à l'agent des affectations comment procéder, celui-ci lui répondit: «Je l'ignore mais voici quelque chose qui pourrait t'intéresser. Dans notre flotte de deux cents bateaux, il s'en trouve un qui possède les meilleurs états de service jamais enregistrés par un navire. Il est toujours à l'heure. Si un problème surgit à bord, il est solutionné avant l'accostage. L'équipage n'élève jamais la voix ou s'il le fait, personne ne l'entend.

Le navire brille comme un sou neuf. Pourquoi ne vas-tu pas voir de quoi il retourne? Vois si tu peux découvrir le secret de son capitaine quant à la magnifique tenue de son navire.»

«Oh! cela m'a l'air d'une fameuse histoire», gémit le jeune journaliste à mi-voix.

L'agent ne leva même pas les yeux et son ton disait clairement qu'il ne plaisantait pas. «Vas-y.»

C'est ainsi que le jeune journaliste monte à bord du navire et part en haute mer. Cette histoire est d'une simplicité trompeuse, aussi ne manquez pas sa beauté en ce qui a trait aux concepts particuliers que nous venons juste d'étudier.

Le navire prend donc la haute mer et notre journaliste erre d'un pont à l'autre. Il n'en croit pas ses yeux: la cuisine est immaculée, les quartiers des hommes reluisent de propreté; tout marche comme sur des roulettes. Le journaliste monte sur le pont supérieur où se tient le capitaine qui ordonne: «Pleins gaz.»

Le jeune journaliste se tient sur le pont supérieur où il essaie de ne nuire à personne. Il est impatient de découvrir le secret du navire. C'est alors qu'un homme d'équipage apparaît sur le pont et annonce: «Capitaine, il y a eu une bataille sur le pont inférieur.»

Après un moment de profonde réflexion, le capitaine dit: «Faites enquête» à l'homme d'équipage qui tourne les talons et sort.

Le journaliste n'est pas un homme grossier, mais il y perd son latin. Il s'élance à la suite de l'homme d'équipage, mais le navire est immense et il se perd. De plus, le déjeuner doit être servi dans vingt minutes et, aisément distrait par la perspective d'un petit plaisir, notre ami prend plutôt le chemin de la cantine.

Le lendemain le voilà de nouveau sur le pont supérieur en compagnie du capitaine lorsque entre un homme qui dit:

«Capitaine, je ne sais trop de quoi il retourne, mais des rumeurs courent sur notre cargaison; certains disent qu'elle est dangereuse et une peur terrible s'est emparée de l'équipage tout entier.»

De nouveau, le jeune journaliste entend le Capitaine dire: «Faites enquête.»

L'homme d'équipage salue et dit: «Oui, Capitaine» et sort.

Au cours des deux jours qui suivent, le même scénario se répète à trois ou quatre reprises. On signale au capitaine un ennui mécanique dans le moteur; un vol; une légère fuite dans la coque. Sur le pont supérieur se déroule la même séquence d'événements immanquablement ponctuée par cet ordre du capitaine: «Faites enquête.»

N'y tenant plus, le journaliste hasarde: «Capitaine, je ne voudrais pas me montrer grossier, mais j'ai déjà servi dans la marine et d'habitude, l'homme d'équipage entre, fait son rapport, puis le capitaine lui donne des ordres précis.» Le bon capitaine se rendait compte que le journaliste était vraiment bouleversé par ce qu'il percevait comme un manquement au protocole. Aussi, prenant une longue inspiration, il lui dit: «Jeune homme, vous ne comprenez pas comment les choses fonctionnent sur notre navire.»

«Que voulez-vous dire?» demanda le journaliste.

Il regarda le journaliste qui était manifestement perplexe.

«Quand un homme me signale que la peur s'est emparée de l'équipage, qu'il y a eu une escarmouche ou un ennui mécanique, je lui ordonne simplement de faire enquête. En d'autres termes, j'intime à l'homme d'équipage, au chef du matériel l'ordre de passer à l'action, de découvrir la source de la peur, de trouver pourquoi le moteur ne fonctionne pas parfaitement bien, qui a commencé la querelle et à quel sujet.»

Cette histoire de navire est une métaphore qui illustre un certain stade dans votre vie de prière.

Aussi, faites enquête. Quelle *sorte* de prière est-ce cela? Comment une personne peut-elle mener une vie mentale vraiment active? (Car c'est de cela qu'il est question en ce moment et il faut bien commencer par le commencement.) Comment faites-vous cela quand, toute votre vie, vous vous êtes contenté de dire: «Je ne veux pas comprendre pourquoi ces deux-là se battent. Je veux seulement m'éloigner d'eux.» Ou «Je ne veux pas savoir pourquoi il y a des jours où je harcèle certaines personnes. Je ne veux pas le savoir! Tout ce que je veux, c'est partir en voyage ou avoir assez d'argent pour les payer afin qu'ils me lèchent les bottes. Ainsi, peu importe que je sois cruel, ils se tairont.» Et *toutes* ces réactions et leurs variantes ont la même signification, en l'occurrence: «Je ne veux pas grandir. Je ne veux pas élargir mon esprit.» La prière est une façon d'élargir son esprit. Et même si nous n'en sommes qu'aux rudiments ici, n'allez pas penser que cela ne vous concerne pas.

Par exemple, savez-vous pourquoi vos états de dépression ou d'angoisse durent aussi longtemps? Parce que vous *ignorez* tout de leurs causes. Et quand je dis cela, je ne parle pas de ce que vous avez pu lire – ou entendre – ni de ce que vos propres pensées ou émotions autopunitives vous *suggèrent*. Votre mental vous chuchote à l'oreille que vous avez subi tels ou tels sévices dans votre enfance; ou «si seulement tu t'étais accroché à cette propriété, tu ne serais pas déprimé aujourd'hui.» Oui, vous le seriez. Vous seriez riche *et* déprimé! La vérité, c'est que vous ne savez rien. Et Dieu aide chacun de nous à se rappeler, quand il part d'ici, que ce n'est pas parce que vous avez l'*impression* de savoir que vous savez! Cela signifie simplement qu'un moi content de lui-même vous décrit votre état afin de pouvoir continuer à dormir et à vivre dans l'état qu'il décrit justement. C'est tout ce que cela signifie. Vous devez le *voir* cependant.

Très bien! Quelle est la solution? Faites enquête! C'est précisément ce que nous faisons ici ensemble. Ouvrir enquête! Passer à l'action. Réfléchir. Oui! je sais, vous allez dire: «Hé, un instant!» Depuis quinze ans (ou depuis le moment où vous avez commencé à étudier avec moi), vous nous répétez sans arrêt: «*Cesse* de penser.»

En fait, je parle de la nécessité d'abandonner la forme de pensée mécanique et réactive à laquelle vous recourez quand un événement vous frappe de plein fouet et que le responsable temporaire apparaît pour redresser la situation. Ceci n'est *pas* penser! Cette forme de pensée n'existe qu'en deux dimensions. Ce n'est pas *vous* qui êtes actif. Ce n'est pas vous qui découvrez comment jeter une lumière nouvelle sur une situation ancienne. Non. C'est juste votre pensée mécanique – bidimensionnelle – qui puise dans sa réserve d'expériences *passées* que vous avez toujours appelée «compréhension»; que vous écoutez quand elle vous explique pourquoi vous êtes comme vous êtes. Ce n'est pas ce que j'entends par être actif, par «faire enquête».

Réfléchissez-y un moment. Est-ce que la lumière n'exerce pas un effet d'agrandissement? Oui, la lumière agrandit! Prenons ce petit «moi» malingre, ce petit esprit – mais oui, c'est un esprit étroit et superficiel. Pensez-y encore une fois. Un esprit en colère est un esprit superficiel; un esprit effrayé est superficiel. Cet esprit peu évolué abdique devant l'autorité du responsable temporaire qui, à son tour, se tourne vers n'importe quelle autre autorité pour étayer ce qu'il veut vraiment. C'est-à-dire quoi? «Je dois trouver une façon de me rendormir; de me sentir bien dans ma peau; d'avoir l'impression d'avancer dans la bonne direction.» Vous comprenez?

Désormais, chaque fois que vous distinguerez la nature mécanique qui tente de se faire passer pour vous, faites de la lumière sur elle! Dites-lui: «Non, non et non!» Au lieu d'écouter cette fausse autorité interne, obéissez aux ordres du capitaine: «Faites enquête.» Oui! Dieu vous dit: «Faites enquête.» C'est juste que vous ne l'entendez pas encore. Mais c'est la vérité: Dieu aide ceux qui s'aident eux-mêmes. Découvrez-le! C'est là que réside toute la beauté de la chose même si elle est difficile à saisir. Dès que vous passerez à l'action, dès que vous commencerez à explorer, Dieu Lui-même résoudra le problème pour vous.

Maintenant nous allons faire un petit bond en avant, aussi je vous demande de suivre du mieux que vous pourrez. La situation extérieure, *quelle qu'elle soit*, n'est pas le *problème*. *Vous êtes* le problème: la cupidité, la peur, l'inquiétude, la colère, l'excitation, tous ces états. Donc, peu à peu, vous vous activez. Vous commencez à explorer ces états. Vous vous interrogez à leur sujet. Ne vous fiez pas à l'opinion des autres. Commencez à travailler avec la vraie prière: «Faites enquête.» Laissez-la ouverte. Ne la résolvez pas. Demandez avec votre cœur. Ayez le désir de savoir et apprenez à écouter sans parler. Intérieurement, devenez quelqu'un dont le seul but dans la vie est d'être activement éveillé et lucide en tout temps... mais pour cela, vous devez écarter le responsable temporaire chaque fois qu'il tente de se glisser à votre place.

Voici un exercice simple que j'ai déjà mentionné auparavant et qui constitue une manière personnelle d'apprendre à élargir son essence de manière à accéder à un nouveau moi. Lorsque vous l'apprendrez, vous comprendrez mieux.

Prenez une idée – dans ce livre peut-être ou dans un vrai livre comme le Nouveau ou l'Ancien Testament – dans un livre qui contient la Vérité. Trouvez une idée supérieure qui vous inspire et couchez-la sur papier en la faisant suivre de cinq pensées *personnelles* en rapport avec elle. Cet exercice vous aidera à «ouvrir une enquête». Regardez vers l'intérieur et voyez ce que vous savez.

Je ferais mieux d'ajouter un dernier point: le faux moi dit toujours: «Je l'ignore» ou «Je ne peux pas! Je ne suis pas capable de faire ce genre de travail». Vous devez voir cet état en vous. D'une manière ou d'une autre, il essaie de vous convaincre que cette sorte d'auto-analyse est réservée aux abrutis ou aux gens qui ont quelque chose à prouver... ou quoi que ce soit. Vous devez comprendre ceci. Votre ego, votre moi actuel, veut vous empêcher de faire enquête. Pour la simple raison que lorsque vous devenez actif, même si vous ne faites que *souhaiter* la présence de la lumière, «il» ne peut pas exister.

Leçons propices à l'auto-analyse

Il existe un *savoir* qu'une personne non seulement est censée
posséder, mais sans lequel elle n'est pas un être humain réel.

☾

Le moi stressé qui réagit à la crise est en soi
une création de la crise, ce qui signifie qu'il a tout intérêt
à ce que la crise continue.

☾

Pour que vous puissiez vous élever au-dessus de cette vie physique,
vous devez trouver une façon d'élargir le «soi»
que vous connaissez actuellement.

☾

Dès que vous explorerez consciemment le mystère de votre
propre vie, Dieu Lui-même trouvera la solution pour vous.

☾

Votre ego, votre moi actuel, veut vous empêcher de faire enquête,
pour la simple raison que lorsque vous devenez actif, même si vous
ne faites que *souhaiter* la présence de la lumière, «il» ne peut plus
exister.

chapitre 4

Où est révélée la source de la vraie prière

Permettez-moi de vous raconter une histoire brève. J'aimerais vous inviter (comme toujours, mais plus spécialement en ce moment) à entrer dans cette histoire. Glissez-vous dans la peau du personnage qui en est la pierre angulaire afin qu'au moment opportun, le dialogue puisse produire l'effet émotif et intellectuel désiré sur vous.

N'ayez pas peur de laisser la vérité vous frapper. Je ne sais pas si vous êtes conscient de cette peur en vous. Combien d'entre vous ne veulent pas se voir couper l'herbe sous le pied? Nous luttons constamment pour tenir à bout de bras ce qui ne concorde pas avec notre vision de la vie. Mais vous ne devez pas craindre de laisser la vérité vous frapper. Elle ne vous portera pas le coup que *vous croyez*. La vérité guérit *toujours*... même si elle fait mal au début.

Il était une fois une mère qui avait une petite fille surdouée d'environ sept

Si vous vous engagez sincèrement dans la prière, toutes vos prières seront exaucées; mais récitez cent prières insincères et vous continuerez de tout bousiller, d'échouer dans votre travail; les prières dites par habitude sont comme la poussière qui s'éparpille au vent. Les prières qui atteignent la cour de Dieu viennent de l'âme.

HAKIM SANAÏ

ou huit ans. Comme celle-ci manifestait un talent artistique exceptionnel, sa mère, qui naturellement voulait la voir s'épanouir, l'inscrivit dans une école d'art spéciale destinée aux enfants surdoués. Après avoir fait ses adieux à sa mère – vous savez comme c'est difficile d'être séparé de son papa ou de sa maman quand on est petit –, la petite fille se rend dans sa classe.

Ayant trouvé un endroit où s'asseoir, elle regarde autour d'elle et avise, outre le professeur, environ sept autres garçonnets et fillettes. Bientôt, chaque enfant reçoit un chevalet à l'apparence unique ainsi que des marqueurs avec lesquels il pourra dessiner. Devant les enfants placés en cercle, le professeur tourne autour de son grand chevalet et prodigue son enseignement.

La fillette est quelque peu distraite, car elle a l'impression de connaître déjà tout ce que le professeur enseigne. Elle se tortille sur son siège et regarde par la fenêtre. Le professeur la rappelle constamment à l'ordre. Mais Céleste a des choses plus importantes en tête.

En fin de compte, au bout de quelques heures, le professeur annonce: «Je vais maintenant vous distribuer du matériel de dessin et vous pourrez dessiner ce que vous voulez. J'aimerais que vous dessiniez un paysage naturel avec un arbre, un rocher, quelques fleurs et un soleil tout en ayant soin d'appliquer les principes dont nous avons parlé ce matin.»

Une heure plus tard environ, le professeur s'approche de Céleste qui ne dessine pas du tout ce qu'elle a demandé. Prenant note de ceci mentalement, le professeur fait encore quelques tours, distribuant ses conseils et posant quelques questions aux enfants.

Au bout d'un certain temps, Céleste, à l'instar de ses camarades, est occupée à dessiner, mais de plus en plus souvent, elle jette un coup d'œil sur le chevalet de Monique, de Philippe, de tous les autres. Elle constate que Marguerite a dessiné un arbre magnifique couronné d'un simple soleil et orné d'une simple fleur. Elle est frappée par la simplicité et la beauté de ce dessin. Elle regarde autour d'elle pour apercevoir ce qu'elle peut des dessins de ses camarades. Puis elle revient à son dessin et commence à se sentir mal à l'aise. Elle est troublée par ce qu'elle voit sur sa toile. C'est pourquoi elle redouble d'efforts et ajoute de la couleur à son dessin.

De temps à autre, le professeur demande à ses élèves s'ils ont des questions. Comme quelques enfants en ont, elle s'approche d'eux pour les aider. Mais Céleste se tait. Elle travaille de plus en plus fort pour ajouter toujours plus de couleur à son dessin. Et plus elle s'acharne, moins son dessin lui plaît.

En fin de compte, elle recule d'un pas et se laisse tomber sur sa chaise, le cœur lourd. Les autres enfants bavardent entre eux, rient et se montrent leurs dessins.

Le professeur, qui attendait le moment opportun, va vers Céleste et lui demande comment elle va. Céleste garde les yeux rivés au sol. Le professeur reprend: «Céleste, je te parle. Que fais-tu?»

Céleste lève les yeux et dit en s'excusant à moitié: «Je n'aime pas mon dessin.»

Le professeur sourit et dit: «Bien sûr.» Et elle attend quelques minutes mais comme Céleste n'ajoute rien, elle se détourne d'elle.

Alors Céleste émet un faible «Mais Mademoiselle...» Le professeur se retourne vers elle et sourit de nouveau... «Que puis-je faire?» demande Céleste.

Faisant une pause voulue, le professeur répond: «Ma foi, Céleste, rien.»

De nouveau Céleste baisse les yeux, abattue. Le professeur se tient là près d'elle dans l'attente de quelque chose.

Au bout d'un moment, elle s'éloigne de nouveau et Céleste lève la main comme pour poser une question et l'arrêter en même temps: «Mademoiselle, je vous en prie!»

Le professeur se retourne, sachant le moment venu, et dit: «Oui, ma chérie?»

Céleste la regarde et s'exclame d'un ton sincère: «J'ignore ce qui ne va pas. Je vous en prie, pouvez-vous m'aider?»

Le professeur lui fait un sourire encourageant, car elle sait très bien ce qui se passe dans la tête de son élève. «Avec plaisir», répond-elle.

Voici une partie cruciale de notre histoire sur la vérité. Le professeur tire de son grand tablier une gomme spécialement conçue pour ce genre de chevalet et en moins de trois secondes, elle efface le dessin de Céleste.

Céleste ne connaissait pas ce type de chevalet puisque c'était la première fois qu'elle l'utilisait. Elle ne pouvait pas savoir que son dessin n'était pas indélébile. Elle ne pouvait pas, étant donné son jeune âge, pressentir la possibilité passionnante de pouvoir tout recommencer à zéro.

La partie de l'histoire où Céleste dit: «Je n'aime pas mon dessin», puis «Que puis-je faire?» et enfin «Pouvez-vous m'aider?» révèle bien simplement la vraie source de la prière.

C'est pourquoi je vous demande: «Que voyez-vous quand vous contemplez le monde que vous vous êtes bâti?»

Êtes-vous comme Céleste qui, au début, regarde autour d'elle sans arrêt et voit que la beauté existe? Vous pouvez voir que l'amour existe; que la compassion existe; vous pouvez voir que *toutes* ces qualités magnifiques existent *bel et bien* autour de vous, puis vous regardez le monde que vous avez créé et... que voyez-vous? Vous ne devez pas vous détourner de la toile de votre conscience. Or, notre première réaction est justement de nous convaincre qu'il y manque de la couleur, ou que *nous* allons faire quelque chose pour transformer la laideur que nous voyons afin de ne pas souffrir ni nous sentir seuls.

Tous les hommes, les femmes et même les enfants d'un certain âge disent: «Je n'aime pas le monde que je me suis bâti. Regardez-moi. J'ai tel âge, je possède toutes ces choses, mais peu importe ce que j'ajoute à ma vie, cela ne change pas ce que je vois.»

Le monde que vous contemplez et qui vous apparaît si souvent à l'envers, se trouve en *vous*. La personne que vous n'aimez pas, votre relation avec elle n'existe pas *en dehors* de vous. Votre mésentente avec les autres n'a rien à voir avec eux. Certes, ils sont méchants. Bien sûr, ils sont endormis, hostiles et tout et tout, mais *vous* l'êtes aussi. Vos sentiments sur le monde que vous voyez avec son mélange hétéroclite de modèles et de couleurs sont tous des reflets de votre vie intérieure. Où que vous alliez, c'est à vous-même que vous vous heurtez. À rien d'autre. Cette leçon est extrêmement importante. Pouvez-vous supporter de regarder le monde que vous avez créé?

Combien d'entre vous se sentent pris au piège? «Je possède seulement quatre dollars! Ou j'ai quatre cent millions de dollars... et je me sens pris au piège!» Le monde dans lequel vous vous sentez pris au piège est fait à votre propre image. Il n'y a pas d'autre piège! Le monde dans lequel vous vous sentez confiné ou affligé, le monde dans lequel vous vous mettez en colère, le monde dans lequel vous vous dépêchez – chacune de ses facettes possède sa contrepartie originale en vous.

Laissez-moi vous démontrer un point qui pourrait clarifier ceci tout en nous montrant comment nous pouvons apprendre à demander un état supérieur. Divisons arbitrairement le monde en deux groupes.

Le premier groupe comprend six milliards et demi d'êtres humains et l'autre, disons, soixante-cinq personnes. Que représentent ces deux groupes?

Le premier groupe représente le monde en général. Cette société cinglée, qui est, en fait, le reflet de nos propres distorsions intérieures, est formée de gens qui sont arrivés à un point où, voyant le monde fragmenté et peu harmonieux qu'ils se sont créé, *négligent* de dire: «Pouvez-vous m'aider?» Savez-vous ce qu'ils font? Leur réaction en voyant un monde qui leur déplaît est la suivante...

«Eh bien! j'irai plus *vite* c'est tout!» Ou...

«Si je pouvais gagner encore *plus* d'argent!» Ou...

«Je dois redoubler d'*astuce* pour que les gens me remercient de m'approprier ce qui leur appartient.» Ou, quand tout le reste échoue...

«J'ai besoin de me distraire, trouvons une nouvelle forme d'*excitation!*»

D'une façon ou d'une autre, c'est ce que font quotidiennement six milliards et demi d'êtres humains. Je dévoilerai ici la vraie nature de ces solutions qui ne trompent que leur auteur. Chacune d'elles rate *forcément* sa cible parce que, jusqu'ici, ces milliards d'individus n'ont pas encore saisi le vrai but de la vie. *Plus vite* ne veut pas dire plus haut; *plus* n'est pas plus profond; *astuce* n'est pas synonyme d'intelligence; l'*excitation* n'est pas l'Amour.

Qu'est-ce qui distingue ces individus du petit groupe de soixante-cinq hommes et femmes? Ces êtres rares se sont rendu compte que plus vite ne veut pas dire plus haut. Que plus n'est pas synonyme de plus profond. Et en voyant cela, ils font comme la petite Céleste de notre histoire, ils demandent: «Que puis-je faire à propos de ce que je vois?» Et petit à petit, ils reconnaissent que ce qu'ils voient devant eux – ce qui les pousse à demander «Que puis-je faire?» – *prend sa source dans leur nature profonde.* Ils comprennent peu à peu la Vérité de cet énoncé vrai: *«Vous êtes le monde.»* Voilà l'explication. Il n'y en a pas d'autre. L'observateur et l'objet observé ne font qu'un.

Voilà où je veux en venir: *Pour qu'une prière soit efficace, son auteur doit comprendre à quoi sert* vraiment *la prière.*

Vous pensez peut-être savoir à quoi sert la prière et peut-être que vous avez raison. Nous l'espérons. Mais n'avez-vous pas récité des milliers de prières? Des prières du genre: «Je vous en prie, réparez ceci» ou «Je vous en prie, favorisez cela» ou «Je vous en prie, changez ceci». «Je vous en prie, faites que je sois riche ou débarrassez-moi de ceci ou de cela.» Pas vrai? Des tas de prières.

Combien d'entre nous ont vu leur prière exaucée pour prier aussitôt que soit modifiée la situation même qu'ils avaient souhaitée dans leur vie? Peut-être qu'un ou deux exemples clarifieront ceci. «Si seulement je pouvais rencontrer l'âme sœur et me marier!» «Si seulement j'obtenais une augmentation!» «Si seulement je pouvais voyager!» Et ainsi de suite. Que pensez-vous de celle-ci: «Je me sens tellement seule... si seulement je pouvais apprendre à danser, je rencontrerais peut-être un homme intéressant.» Puis vous rencontrez un psychopathe dans un bar et désormais, *non seulement* vous vous sentez seule, *mais encore* vous avez peur de répondre au téléphone!

J'essaie de vous faire comprendre que la situation qui vous pousse à demander: «Je vous en prie, pourrais-je être débarrassé de ceci?» est celle-là même que vous avez prié pour obtenir. Qu'est-ce que cela signifie? Cela signifie – parce que cela nous arrive et que nous ne le voyons pas – avant tout et d'une manière évidente, qu'*il y a en nous une partie qui prie pour demander une chose qu'elle ne connaît pas.* Prieriez-vous pour obtenir une solution qui se change en problème? Personne ne le ferait. Et vous? «Toute ma vie j'ai prié, prié, prié et je suis encore...» – complétez la phrase – «et je continue de regarder autour de moi et de voir un monde que je n'aime pas.» Traduction: je suis toujours inquiet, frustré, contraint, irrité, pressé, ou quoi que ce soit.

Mais ne ratez pas l'astuce ici... à l'instar de milliers de nouveaux sceptiques. Ce n'est pas parce que j'ai récité toutes ces prières et qu'elles n'ont pas vraiment été exaucées que Dieu n'existe pas. Cela signifie tout bonnement que j'ignore dans quel état intérieur et ce pour quoi je prie. Évidemment, j'ignore quel est mon état intérieur quand je prie. Si je le connaissais, je ne prierais pas pour obtenir une chose que je voudrai voir disparaître l'instant d'après. De plus, j'ignore ce pour quoi je prie. Si je le savais vraiment... si je comprenais vraiment *à quoi* sert la prière... j'obtiendrais ce qui me permettrait de regarder autour de moi et de dire, à l'instar de Dieu: «Tout est bien dans mon univers; cela est bon.»

Voilà un point d'une importance cruciale. En premier lieu, nous sommes conditionnés à croire en nous-mêmes et à penser que nous savons vraiment ce dont nous avons besoin. En second lieu, nous sommes convaincus que nous savons ce pour quoi nous prions. Ce conditionnement social et religieux est profondément incrusté en nous. Mais la lumière de notre lucidité naissante à l'égard de notre véritable situation a un effet transformateur *en soi*. Elle nous conduit, encore que lentement, au moment de notre histoire où la petite fille demande: «Pouvez-vous m'aider?» Parce que, et je formulerai ceci de diverses manières... Il est clair qu'au moment où Céleste sollicite l'aide de son professeur, certains changements se sont produits en elle. Premièrement, elle a dû comprendre qu'elle, Céleste, n'arriverait pas à transformer le dessin qu'elle voyait devant elle pour le rendre conforme à son goût. Et deuxièmement, sa demande d'aide constituait un aveu. C'était un *aveu*. Vous comprenez?

«Pouvez-vous m'aider?» La personne qui formule cette requête sait qu'elle ne pourra pas faire à sa tête. Cette question, dès qu'elle est formulée sincèrement, du fond du cœur, est un aveu à travers lequel vous reconnaissez votre inaptitude à transformer votre monde de manière qu'il vous agrée. Vous avez besoin d'aide pour cela. Et que se passe-t-il au moment de cet aveu? Examinons d'abord la vie de Céleste, puis nous nous pencherons sur la nôtre.

Au moment de cet aveu, Céleste dit: «J'ai besoin de vous parler. Je veux voir les choses telles que *vous* les voyez.» Cette requête explicite renferme une invitation implicite. Tout aveu qui demande un redressement *invite aussi une relation*. Ce genre d'aveu appelle automatiquement une relation spéciale que la personne doit être disposée à établir.

Supposons que je viens vers vous et vous fais un aveu. Dès l'instant où je viens vers vous, surtout après vous avoir repoussé, je suis concerné. J'établis une relation avec une chose avec laquelle ma fierté m'empêchait d'être en relation. Aussi je fais cet aveu, je désire ce redressement, et à cause de cela, je suis amené à nouer une relation avec une chose avec laquelle je n'étais pas en relation avant.

Faites maintenant le magnifique lien suivant: relation signifie communion. Et cette nouvelle *communion* commence, dans notre histoire, avec... «Pouvez-vous m'aider?» Vient la réponse... «Oui, je le peux.»

Et cette amorce d'échange, cette mise en commun des idées, n'est que le commencement. Car en fin de compte, le professeur (qui représente Dieu dans notre cas à nous) se met à fraterniser avec son élève, Céleste (vous et moi). Et cette nouvelle relation, cette communion permet à l'élève de voir à travers le regard de son professeur ce que peut être le monde. Et cela est une tout autre histoire.

Nous sommes ainsi faits que nous nous sentons responsables de faire fonctionner le monde que nous voyons. Cette idée est profondément ancrée en nous et renforcée, en partie, par sa véracité partielle. Nous répugnons fortement à accepter que, depuis tant d'années, malgré tout ce que nous avons fait pour nous-mêmes, nous continuions de voir ce qui est laid et indésirable sur la toile de notre vie. Vient un moment, cependant – si nous avons de la chance –, où nous prenons conscience que nous ne pouvons plus nous permettre de refuser de voir ce qui est là. Et il suffit que nous passions à travers les premiers stades difficiles de ce qui représente le début de la vision véritable de soi-même pour que surviennent de nouvelles découvertes dont la lumière nous sauve en nous révélant à quels moments nous sommes les captifs inconscients d'un cercle invisible de fausse force; et cette *fausse* force est le pouvoir que recherchons toujours une fois la nécessité *passée*!

Réfléchissez-y! Quel est l'avantage de trouver une solution, une force qui ne résout jamais *vraiment* le problème, mais nous donne juste l'*impression* de l'avoir résolu? Quel est l'avantage de trouver de la «force» encore et encore... quand le seul vrai pouvoir de cette force est de nous faire accepter temporairement la faiblesse qui nous a submergés; en nous en expliquant la cause peut-être... ou en affirmant que nous ne recommencerons plus jamais. Nous sommes tous pareils jusqu'à ce que...

... un miracle se produise. Car le jour où nous nous disons: «Il est extraordinaire qu'il me faille toujours demander la force dont j'ai besoin une fois la nécessité passée. Par conséquent... je ne ferai plus jamais appel à cette force parce qu'au fond, je ne veux *pas* vraiment une force que je puisse avoir pour moi-même... Qui me permette provisoirement de regarder une toile et d'y voir ce que je veux y voir. Non! Ce que je veux vraiment n'a rien à voir avec toutes ces ruminations. Ce que je veux, c'est un nouveau moi.»

Regardez ce pour quoi nous prions. Nous ne demandons pas un nouveau moi parce que nous devons d'abord atteindre un point où ce que nous voulons vraiment dire, c'est: «Pouvez-vous m'aider?» Cela s'explique par le fait qu'il est impossible de demander un nouveau moi, une nouvelle vie, que Dieu soit notre vie, tant que nous n'avons pas fini de faire ce que nous avons à faire. Tant que nous n'avons pas pris toutes les couleurs que notre fausse nature peut rassembler pour former tous les agencements possibles sur la toile et constaté que, peu importe ce que nous faisons, nous n'arrivons pas à créer un dessin joli et durable.

Le monde que nous créons est tellement ennuyeux. Voyez les retouches incessantes que vous devez y apporter. Mais ce n'est pas le pire. Le pire, c'est que vous commencez à être à court d'idées quant au modèle que vous voulez créer! Alors inévitablement, cette nature qui se crée elle-même se retourne contre elle-même; et devient méchante avec tout le monde à cause de la souffrance qu'elle s'auto-inflige. Ce faisant, elle se ferme à jamais à la question «Pouvez-vous m'aider?» parce qu'elle ne peut pas s'aider elle-même. Et elle empêche toute aide de venir vers elle en niant qu'il existe quoi que ce soit en dehors d'elle-même, ce qu'elle accomplit en se détestant.

La personne atteint donc un point où elle commence à comprendre qu'il existe véritablement un ordre dans le processus de la vraie prière... parce que, pour qu'une prière soit efficace, elle doit commencer par une requête sincère, qui soit ancrée dans la réalité. Elle ne peut reposer sur des souhaits, des espoirs et des rêves. Ni sur des besoins ou des idéaux. Elle doit posséder les ingrédients nécessaires pour être efficace, en l'occurrence un cœur à découvert, un *cœur mis à nu*. Voilà ce dont la prière a besoin pour être efficace: un cœur mis à nu. Un cœur auquel le mental ne peut plus mentir en disant «un jour tu seras beau». Et au moment où la Réalité inspire notre requête, *cette* requête correspond à la Voie. La véritable requête est la Voie. Et la Voie, si on la suit, consiste à s'approcher d'un certain nombre de portes intérieures invisibles. En passant, ce sont vraiment des portes. Vous savez que le Christ a dit: «Frappez et on vous ouvrira.» Ce coup particulier est celui que l'on frappe quand on demande sincèrement: «Pouvez-vous m'aider?» En le frappant, on abandonne son ego devant chaque porte qui se trouve sur le chemin et la porte s'ouvre. Cela vous arrivera.

Je conclurai ce chapitre par la pensée suivante parce que je veux vous fournir des outils de travail. Je vous invite à essayer de voir que quand, dans un accès de tristesse, vous avez l'impression que vous n'êtes pas fait pour ce monde, le «vous» qui parle alors *a bâti* ce monde. Et que votre tâche, *dans* la prière et *avec* la prière, consiste à trouver un état de calme très simple, un aveu très simple: «Je n'aime pas le monde que j'ai créé. Pouvez-vous m'aider?» Alors, tout comme le professeur l'a fait pour Céleste dans notre histoire, votre ardoise sera effacée. Céleste ignorait que le professeur pouvait faire cela, mais celle-ci attendait seulement sa requête. De la même façon, Dieu attend seulement votre requête.

Lorsque Dieu efface votre ardoise dans votre vie, il ne vous transmet pas une certaine force qui vous donne l'impression de pouvoir créer de grandes choses. La «force» que vous sentez couler en vous lorsque vous entrez en relation avec Dieu résulte du fait que vous laissez derrière vous le niveau où vous vous identifiez avec la faiblesse qui vous rendait victime des événements de votre vie, y compris vos propres pensées. Il ne s'agit donc pas de grandir de la façon dont nous nous imaginons parfois grandir. La vraie croissance spirituelle est une sorte de *transition*. Cette transition met en lumière une partie qui a toujours été présente en vous et avec laquelle vous communiez. Nos moindres désirs, chaque prière que l'on récite est toujours reliée à une partie inhérente de nous-mêmes. Une partie qui nous semble tout près mais hors de notre portée. Nous avons l'impression qu'il suffirait de franchir cette porte-là pour l'atteindre.

Voilà le chemin spirituel. Il se trouve à l'intérieur de vous. Et vous devez faire le voyage. Mais pour cela, vous devez cheminer sur la Voie et pour être sur la Voie, vous devez comprendre quelle requête ouvre cette Voie. Renoncez de la bonne façon. Apprenez à vous abandonner. Apprenez à voir la nécessité de vous abandonner à quelque chose de supérieur. Le reste se fera tout seul.

Leçons propices à l'auto-analyse

L'un des obstacles invisibles réside dans le fait que nous abordons le problème de notre transformation avec la partie de nous-mêmes qui peut seulement l'aborder avec les idées qui l'ont créé de prime abord.

☾

Votre tâche consiste à intégrer petit à petit à votre image actuelle de vous-même les idées qui vous montrent vraiment les limitations et la souffrance INHÉRENTES à cette image.

☾

Le pouvoir de nos prières augmente dans la mesure où nous avons fait tout ce que nous avions à faire et le savons.

☾

Pour que la prière soit efficace, elle doit commencer par une requête sincère ancrée dans la réalité et née d'un cœur découvert; un cœur mis à nu.

☾

Reconnaître que vous ne pouvez pas vous changer vous-même est le vrai commencement de la transformation de soi, car *cet* aveu est aussi une invitation à nouer la Relation supérieure qui change tout.

TOUTE PRIÈRE QUI SOLLICITE UN BIEN PARTICULIER — AUTRE QUE LA BONTÉ — EST MAUVAISE. LA PRIÈRE EST LA CONTEMPLATION DES RÉALITÉS DE LA VIE DU POINT DE VUE LE PLUS ÉLEVÉ. ELLE EST LE SOLILOQUE D'UNE ÂME REDEVABLE À DIEU ET DÉBORDANTE DE JOIE. ELLE EST L'ESPRIT DE DIEU AFFIRMANT QUE SON TRAVAIL EST BON. MAIS LA PRIÈRE UTILISÉE COMME MOYEN DE PARVENIR À UNE FIN PERSONNELLE N'EST QUE VOL ET MÉCHANCETÉ. ELLE SUGGÈRE LE DUALISME ET NON L'UNITÉ DE LA NATURE ET DE LA CONSCIENCE. DÈS QU'UN HOMME EST UNI À DIEU, IL CESSE DE MENDIER ET VOIT ALORS UNE PRIÈRE DANS TOUTE ACTION.

R.W. EMERSON

chapitre 5

Toucher la vérité éternelle

Il était une fois une fillette dont les parents avaient décidé de l'envoyer dans un camp de pleine nature pour qu'elle acquière de la maturité. Vous savez que dans ces camps, les enfants partent pendant plusieurs jours pour vivre ce qui est censé être une expérience d'autonomie dans des environnements entièrement naturels. La fillette se trouve donc dans un de ces endroits en compagnie d'environ deux douzaines de garçons et de filles de son âge accompagnés par un guide expérimenté et un ou deux conseillers juniors.

Pour des enfants de six, sept, huit ans, la nature est effrayante! Tous les enfants passent leur temps à se morfondre, à pleurnicher et à se plaindre, sauf un. Vers le troisième jour, un des conseillers juniors remarque que notre fillette ne semble pas avoir les mêmes problèmes que les autres. Il va vers elle et lui dit: «J'ai remarqué que les autres gosses ont peur et se plaignent tandis que toi,

> La question révélatrice de la vie d'une personne est de savoir si, oui ou non, celle-ci est en rapport avec l'infini.
>
> CARL JUNG

tu ne sembles pas le moins du monde perturbée... C'est merveilleux!» Et d'ajouter après coup: «J'aimerais bien savoir ce qui se passe en toi?»

La petite fille lui adressa un sourire penaud comme un enfant qui se fait prendre la main dans la jarre à biscuits. Se tournant vers le conseiller, elle lui dit doucement: «Vous promettez que vous ne direz rien?»

«D'accord», répond le conseiller qui ignore où elle veut en venir.

Ayant établi les règles, la fillette glisse la main dans sa poche, en tire un puissant walkie-talkie miniature, lève les yeux vers le conseiller et annonce avec une fierté manifeste:

«Mon papa m'a offert ceci juste avant mon départ pour que je puisse lui parler chaque fois que j'en avais besoin!»

Au cas où la morale de cette histoire ne serait pas évidente, la fillette était calme parce qu'*elle était reliée* à quelqu'un. Cette idée nous fournit une vaste toile sur laquelle nous pouvons jeter beaucoup de lumière afin de découvrir un tas de merveilles. Alors commençons.

Tout d'abord, si quelqu'un vous demandait tout à trac, comme moi maintenant: «Où est le roi?» vous répondriez sans doute: «Le roi est dans son royaume!» parce que dans notre monde, c'est là que se trouve habituellement le roi.

Dans la vie spirituelle, le Dieu Tout-Puissant se trouve dans Son Royaume, lui aussi. C'est logique, n'est-ce pas? Le Roi est dans son Royaume.

Maintenant, où se trouve ce Royaume céleste? Vous connaissez la réponse, intellectuellement du moins. Vous l'avez entendue ou lue des milliers de fois. Mais vous n'avez aucune idée de sa signification cachée ni de ce que ce secret de polichinelle signifie *pour vous*. Ce Royaume se trouve à *l'intérieur*. Je résume: le Roi est dans son Royaume; le Royaume se trouve à l'intérieur.

Malheureusement pour nous, nous nourrissons toutes sortes d'idées erronées sur ce Royaume. Le Roi est dans son Royaume. Le Royaume est à l'intérieur. Mais... si le Royaume est à l'intérieur, pourquoi vous et moi ne sommes-nous pas de nouveaux êtres humains dans ce royaume?

Comprenez-moi bien. Si le Royaume se trouve à l'intérieur, et il l'est... à l'intérieur de quoi se trouve ce Royaume des Royaumes? Il se trouve à l'intérieur de *moi*. Bien, voyons ce que nous avons ici. C'est une question de simple logique. Le Roi est dans son Royaume; le Royaume se trouve à l'intérieur; le Royaume se trouve à l'intérieur de moi.

Voici un point important et vous devez me suivre. Le Royaume est à l'intérieur de moi. Nous formulerons maintenant cette affirmation en des termes légèrement différents: le Royaume est dans «je». N'êtes-vous pas «je»? Le Royaume est dans «je»... Ce que je suis; ce que je *connais* de moi-même.

Dans le monde religieux actuel, le royaume est à l'*extérieur*. Il se trouve à un endroit où nous irons peut-être quand nous mourrons... si nous avons versé suffisamment d'arrhes... et commis suffisamment de «bonnes» actions. Ce Royaume existe pour nous – il s'agit soit d'un endroit situé à l'extérieur de nous-mêmes, *soit* d'une idée à propos de nous-mêmes. Mais ce qu'il faut comprendre ici, c'est que le Royaume est à l'intérieur du «je»; et le Roi est dans son Royaume, Il est ce Royaume. Ceci implique qu'il y a quelque chose qui cloche avec notre «je» actuel. M'avez-vous suivi? Il est crucial que vous compreniez ceci.

Il y a quelque chose dans ce «je»... ce petit moi auquel je m'identifie et que je prends pour moi-même... qui masque le Roi à l'intérieur, la Vérité, le Christ, la Réalité... choisissez le mot qui vous convient.

Il y a quelque chose dans ce «je» actuel dont la présence, les qualités m'empêchent tout à fait de vivre la vie pour laquelle j'ai été créé. Si vous comprenez ceci, vous devez poser une question vraiment importante, en l'occurrence «Qu'est-ce que "je"?» Vous devez en arriver là. Il ne faut pas confondre cette question avec «*Qui* suis-je?» et elle n'est pas non plus purement intellectuelle. Vous devez arriver au point où vous voyez que Dieu et Son Royaume se trouvent à l'intérieur de ce que vous êtes, au sein du «je». Mais que, en quelque sorte, le «je» que vous connaissez et qui inspire vos actes en ignore absolument tout... Exception faite des idées auxquelles il s'accroche quand il tente de sauver sa peau dans les moments difficiles, ce qui ne vaut rien.

Examinons notre constatation. Étudions consciemment la nature du «je».

Nous pouvons commencer par montrer que ce «je» n'est pour nous qu'une idée particulière en ce moment.

Exception faite de nos idées provisoires sur nous-mêmes, nous ne possédons pas de «je» permanent. Le «je» dans lequel devrait se trouver le Royaume n'englobe pas le Royaume, sinon celui-ci serait là pour nous. Il nous apparaîtrait clairement sans que nous ayons à fournir le moindre effort! Donc il est clair que quelque chose ne tourne pas rond. Et ce qui ne tourne pas rond, c'est le «je». Ce «je» est une *idée*. Donc ce qu'il nous faut, c'est modifier nos *idées*.

Qu'entend-on par grandir? Vous rappelez-vous la première fois où vous avez su que vous deviez grandir? Cela ressemblait peut-être à ceci: «Si tu veux ton allocation hebdomadaire, tu devras sortir les ordures une fois par semaine!»

Ou vous rappelez-vous le terrible glas qui a résonné en vous quand le professeur a prononcé le mot abhorré: «Devoirs!» *Devoirs?* «Oh non! Vous voulez dire que je ne peux pas regarder mon émission favorite?»

Grandir entraînait donc, au début, de nouvelles responsabilités. La responsabilité est d'abord une *idée* qui se concrétise ensuite sous différentes formes (dont certaines sont réelles mais dont beaucoup sont imposées à des personnes inconscientes afin de les transformer en esclaves involontaires). Il n'en reste pas moins que la responsabilité est une idée. Donc une grande part de la croissance entraîne l'établissement d'une relation avec certaines idées qui existaient déjà avant la personne qui est censée grandir. Comprenez-vous?

Quelles sont les autres idées reliées au fait de grandir? Que pensez-vous de celle-ci: «Je pense que je l'aime.» De but en blanc, vous êtes traversé par des sentiments puissants, quel que soit votre âge, et vous regardez autour de vous et vous dites: «Fichtre! Je n'ai jamais eu une relation comme celle-là avant.» Et vous grandissez au sein de ce que vous appelez une relation amoureuse. Mais qu'est cette relation? Une *idée!*

Puis, tout en grandissant, vous pensez: «Maintenant, je suis marié» ou quoi que ce soit d'autre. Et ainsi de suite. Et ensuite? «Je continue de grandir parce que j'ai des gosses et que je dois apprendre à me donner à mes enfants. Je dois faire des sacrifices.» Sacrifice est une *idée.*

Et la vie suit son cours jusqu'à ce que, si vous continuez comme cela, vous atteigniez un point où vous vous rendez compte qu'il manque à votre vie une certaine compassion qui se trouve hors de votre portée. Et cette compassion non actualisée n'a rien à voir avec le simple fait de se départir de quelque chose. Elle est reliée au degré suivant, au prochain degré de profondeur d'une relation. Si vous êtes fidèle à cette conclusion, vous grandirez progressivement. Puis vous vous demanderez vers quoi cette croissance vous conduit.

Écoutez-moi. On ne grandit pas pour atteindre des idées. Ce sont plutôt les idées qui grandissent en nous. Vous devez comprendre que ce processus de croissance est vraiment le mariage d'une chose qui existe déjà avec une chose qui a été préparée à cette union. Pensez-y. La responsabilité existait déjà avant que le premier être humain commette un acte responsable. La relation existait déjà avant que le premier homme ou la première femme joigne ses mains à celles de sa bien-aimée ou de son bien-aimé. Et la compassion existait déjà avant que le premier être humain dise: «Puis-je vous aider?» ou «Je ne veux pas vous ennuyer avec mes problèmes». Ces qualités existaient avant que l'être humain devienne soi-disant porteur de cette qualité. Ce sont là des idées que je vous présente. Et la raison pour laquelle je vous les présente, c'est que, toutes ensemble, elles mettent en lumière une chose que vous devez à tout prix comprendre *si* vous voulez transformer le «je» qui inspire votre vie actuellement.

Résumons brièvement: tels que nous sommes maintenant, nos idées et le «je» sont une seule et même chose. Essayez de voir ceci. L'idée et le «je» ne font qu'un. En ce moment, nous nous connaissons *uniquement* à travers nos idées sur nous-mêmes. Donc, sans idées nouvelles, le «je» ne peut pas changer. (Et je vous en prie, rappelez-vous que nous parlons, dans cette leçon-ci, de ce que nous pouvons faire pour modifier le pouvoir qui nous gouverne actuellement.)

Nos sens physiques nous donnent l'illusion d'être reliés à un monde que nous voyons et ressentons toujours comme étant *séparé* de nous. En réalité, *nous ne sommes pas reliés* aux situations: aux événements passés, à ceux que j'attends... l'effet de toute situation extérieure sur nous. Comprenez-vous? Vous vous percevez comme étant relié au monde, mais vous n'êtes pas relié au monde mais bien à vos *idées* du monde telles qu'elles ont été déterminées par vos sens. Laissez-moi répéter cette conclusion essentielle: en réalité, vous n'êtes pas relié au monde, mais bien à vos idées du monde telles qu'elles ont été définies par vos sens. Vos sens vous disent que le monde est là et que, si vous éprouvez tel ou tel sentiment, c'est à cause de l'action de telle personne, et ainsi de suite. Mais moi je vous dis que *vous n'êtes pas relié au monde, mais à vos idées à propos du monde…* Qui, d'après les informations que vous donnent vos sens, existe à l'*extérieur* de vous. Me suivez-vous? Je vous en prie, réfléchissez à ces quelques points cruciaux. Le temps que vous consacrerez à cette étude sera amplement récompensé.

Nos sens ne peuvent pas nous donner de nouvelles idées. Et c'est pourquoi le véritable savoir revêt une importance critique. Car seules de nouvelles découvertes et leur réalité nouvelle et lumineuse qui nous mettent naturellement en harmonie avec la Réalité supérieure cachée, peuvent nous donner le pouvoir d'assimiler de nouvelles idées qui nous permettront de mieux nous connaître. Nous avons beaucoup à gagner si nous saisissons ces idées nouvelles, comme le révélera le paragraphe ci-dessous.

Nos sens nous renseignent sur le monde physique dans lequel nous vivons. Ces sens physiques m'indiquent que je suis séparé de vous; que vous êtes séparé d'eux; qu'ils sont séparés de tous ceux dont ils veulent obtenir quelque chose. Et ainsi de suite. Toutes nos idées sont fondées sur notre perception du monde en fonction de nos sens. Ces idées ne peuvent nous mener au-delà de cette perception sensuelle du monde. Nous en sommes prisonniers, dans le vrai sens du terme, tant que nous n'apprenons pas à voir que ces idées très limitatives ne sont qu'une partie de toute l'histoire.

Quelle est l'une des idées les plus restrictives que nous transmettent nos sens?

L'idée du *temps*.

«Ah le temps! Où va-t-il? Je n'arrive pas à retenir ce qui passe. Je ferais mieux de me retourner et de regarder dans l'autre direction, vers l'avenir. Mais, un instant! Je ne crois plus tant à ce qui sera parce que je l'ai beaucoup fait dans le passé.» Aussi, si vous me suivez, nous vivons tous dans un moment où tous les événements semblent couler dans une direction – sans que nous puissions les retenir parce qu'ils sont déjà passés – et du même coup, tous les autres événements de notre vie semblent être en route, seulement ils ne sont pas encore là!

Que devient un cours d'eau lorsqu'il frappe un sol sec et désertique? *Voilà* la nature du temps.

Vos expériences de vie sont enterrées dans le sable de ce que vous appelez le passé. Mais dès qu'elles sont passées, elles sont passées. Certaines personnes passent leur temps – vous n'y avez jamais pensé mais je vous assure que c'est vrai – à fouiller désespérément dans le *passé*… dans l'espoir de mettre la main sur la vie qu'elles savent désormais envolée. Savez-vous ce qu'elles font? Elles creusent dans le désert afin de trouver de l'eau. Mais l'eau a disparu. Puis quand la souffrance devient trop grande, elles se tournent vers l'avenir et disent: «Peut-être que je la trouverai de cette façon.» Voici ce que je veux dire. (En passant, je vous explique, si cela vous intéresse, pourquoi Bouddha appelait ce monde un monde de souffrance.) Tout dans ce monde est temporaire, éphémère. Tout ce qui va vers le *passé* disparaît. Tout ce qui vient dans notre direction n'est pas encore là. Me voici dans le moment présent sans aucun moyen de retenir quoi que ce soit. Ce qui était… est parti; et ce qui doit venir… n'est pas encore là!

Soyez attentif parce que je m'apprête à renverser cette idée. Par ailleurs, ne définit-on pas l'Éternité comme une chose qui n'a ni fin ni commencement? Parfaitement. L'Alpha et l'Oméga. Ce qui n'est pas encore et ce qui sera. La vérité, c'est que – ce que nos sens ne peuvent pas saisir – nous vivons dans le *maintenant*, dans le moment présent. Et nos sens nous présentent ce moment présent, qui passe surtout inaperçu, comme une sorte d'irréalité; un médium intouchable dans lequel nous vivons et à travers lequel tout passe, mais dans lequel nous ne pouvons rien saisir, *encore moins* nous-mêmes. Vous cherchez toujours le «je», n'est-ce pas? En fin de compte, nous cherchons toujours dans la vie quelque chose qui nous permettra de nous connaître et de nous posséder. Mais... Où cherchons-nous ce «je»? Ne passons-nous pas notre temps à nous demander... Où est-il passé? Pensez-y. «Il m'aimait *pourtant*!» Ou «Oh non! Où est-il allé?» Ou «Attendez, je suis certain qu'il s'en vient!» Il faut comprendre ici que ce «je» n'est jamais réel pour vous parce qu'il est toujours relié à ce qui est temporaire et éphémère, ou à ce qui arrivera peut-être. Je vous en prie, réfléchissez à ces idées importantes jusqu'à ce qu'elles vous révèlent leur sagesse.

Donc «je» représente en fait la manière dont nous comprenons notre expérience du moment présent à travers nos sens. Il est lié à une partie de nous qui espère continuellement extraire l'eau du sable ou concrétiser une chose qui n'est pas encore réelle; afin que nous puissions mettre la main dessus et dire: «Je suis réel! J'existe!» Mais nous n'y arrivons pas vraiment, n'est-ce pas? C'est un peu comme un cauchemar. Nous sommes toujours à deux doigts de la réussite.

Avez-vous déjà vu un homme qui fait tourner des assiettes au bout de plusieurs bâtons et court à gauche et à droite pour les garder en mouvement? Voilà à quoi ressemble le «je». Et qu'est-ce qui l'ébranle? «Oh, regarde, il part.» «Oh, elle change.» «Oh, je suis en train de tout perdre.» «Oh, peut-être que cela arrivera.» «Peut-être que ce sera différent la prochaine fois.»

Écoutez cette merveilleuse idée nouvelle (mais ancienne). *Tout ce qui a jamais été ou sera jamais... existe déjà.*

Quand Dieu a créé le ciel et la terre, il a complété son œuvre en entier. Au niveau actuel de conscience, de lucidité qui est le nôtre, nous percevons le passage du temps.

Mais dans le monde de Dieu, le temps ne passe pas. Il est une création stable qui renferme toutes les possibilités. Nos sens nous signalent que le passé est terminé; qu'il est envolé! Vous les avez entendus vous le dire un millier de fois: «Oh c'est fini! Comme j'aimerais revivre ce moment.» Mais moi, je vous dis que ce moment n'est pas envolé. Mais plutôt que le «je» qui inspire nos actes est incapable, en raison de son caractère passager, de percevoir autre chose que lui-même lorsqu'il réfléchit à des expériences qui ont eu lieu dans le cours du temps.

Pouvez-vous voir que cette idée renferme un nouveau «je»? Pouvez-vous l'examiner et dire:

«Je passe ma vie à essayer de saisir ce qui s'en vient ou de m'accrocher à ce qui passe. Je perçois tout avec mon sens temporel, y compris les sentiments de perte et l'espoir de réaliser un gain, et toutes mes relations sont centrées sur cette idée. Maintenant, j'apprends que *ce que je suis vraiment*, la manière dont Dieu a créé l'univers, le cosmos, que tout ce temps dont je m'inquiète tellement qu'il soit envolé ou qu'il ne vienne pas, a été créé au début et existe déjà et que, tout ce que j'ai à faire, c'est d'essayer de comprendre cela.» Si cela vous apparaît comme une tâche herculéenne, écoutez-moi. Ça ne l'est pas! Dieu vous a donné les ressources nécessaires pour le comprendre. Laissez-moi vous montrer.

Souvenez-vous de la courte histoire sur la fillette dans la nature. Elle était calme, n'est-ce pas? Parce qu'*elle était reliée* à quelqu'un. La source de sa tranquillité tenait à ce lien. Aussi, la première partie de ces nouvelles leçons et de l'exercice sur la prière que je m'apprête à vous enseigner consiste simplement à remarquer à quelle idée vous êtes relié la prochaine fois que vous serez agité. Vous verrez, c'est très simple. Je suis au volant de ma voiture et comme, par la grâce de Dieu, j'ai déjà travaillé sur moi, je remarque que je me sens déprimé. Je suis inquiet. Ordinairement, la nature qui ressent cela, l'idée qui épouse cet état, recherche en elle-même la cause de cet état, ce qui n'a d'autre effet que d'entretenir celui-ci. Maintenant, vous détenez de nouvelles informations. *La raison pour laquelle vous vous trouvez dans cet état tient à ce à quoi vous êtes relié.* Point à la ligne. Et vous êtes relié à une *idée.* Ces découvertes peuvent vous apporter une aide supérieure de taille!

Au début, votre tâche spirituelle consiste à intégrer peu à peu à votre image de vous-même les nouvelles idées qui mettent en évidence les limitations et la souffrance inhérentes à cette image. Nos conclusions jusqu'ici et l'essence de cet exercice important prouvent qu'il existe une autre sorte de «je»! En fait, je dois comprendre que je n'ai pas besoin de chercher ce «je» chez les autres, en vous et dans ces états. Pourquoi? Parce que, quand je suis relié à ce «je», à cette idée, je souffre!

Je vous ai demandé de remarquer ce à quoi vous êtes relié – seulement cela – puis de vous relier à la nouvelle idée que voici: Tout est déjà fait. Mais nous ne vivons pas comme si c'était le cas, n'est-ce pas?

Je vous assure que ce qui vous fait courir et croire que chaque idée qui surgit dans votre esprit sur la manière de devenir entier, est le fait que vos sens vous voient comme étant *séparé* du monde. En vertu de notre nouvelle idée, tout est déjà fait. *Terminé.* Si la moindre partie de vous vibre à cette idée, elle germera en vous. Vous pouvez la laisser vous pénétrer progressivement.

Donc l'exercice que je vous propose consiste à faire d'abord cela. Passons maintenant à la partie prière. Je vous supplie de prendre le temps, au moins deux fois par jour, de préférence autant de fois que vous le pouvez, de remarquer volontairement ce à quoi vous êtes relié. Prier, ce n'est pas demander des faveurs à Dieu, mais d'abord être avec Lui, puis en Lui. C'est là l'essence de la prière. Cela n'a rien à voir avec les présents, cela a à voir avec l'éveil de l'Être qui n'existe pas dans le temps. Et c'est là le cadeau suprême.

Si les événements n'en finissaient pas de s'éloigner de vous ou de ne pas arriver, seriez-vous comme vous êtes? Dans un sens, votre vrai «je» est inexistant. Vous passez votre temps à le chercher. «Où suis-je? Je vous en prie, trouvez-moi! Où est-il allé? Oh, il est parti! Non, il s'en vient!» N'est-ce pas comme cela? Comme une mauvaise joute de tennis.

Donc le nouveau «je» doit d'abord être une idée. Et cette nouvelle idée n'est pas du tout neuve. Elle existe depuis le début dans sa totalité. Le Roi est dans son Royaume. Le Royaume est à l'intérieur et *cet* «intérieur» est caché au sein du nouveau «je»... au sein de votre vraie nature... quelle que soit le nom que vous lui donniez. Cette nouvelle nature doit être apprivoisée, invitée à entrer.

Aussi dans vos moments de méditation ou de prière, voici comment vous pouvez amorcer votre transformation personnelle. Commencez par comprendre qu'au lieu d'être relié au «vous» que vous projetez constamment – qui espère obtenir, trouver, solutionner quelque chose – toute la question est *déjà* résolue. Essentiellement, il existe en vous une partie dont vous ignorez tout, qui est *éternelle*, qui existe déjà dans le Royaume éternel.

Cela nous dépasse parce que notre mental nous dit le contraire. Il nous dit que nous avons besoin de faire quelque chose pour accéder au Royaume. Je vous explique comment y arriver. *Voyez* que votre perception de la vie vous punit, puis laissez ce que vous commencez à entrevoir modifier votre perception de vous-même. Voici comment cela fonctionne.

Rappelez-vous, nous avons dit qu'il vous a fallu apprendre la responsabilité, n'est-ce pas? Par exemple, en grandissant vous avez appris ce qu'était un sacrifice; on vous a dit peut-être... «Ton frère veut ton jouet; donne-le-lui.» Et vous avez obéi à contrecœur jusqu'à ce que, petit à petit, cette nouvelle idée, qui existait déjà avant votre geste, exerce son influence éternelle sur vous. Et petit à petit, vous devenez cette idée! Elle vous pénètre au moment où vous l'abordez avec une attitude réceptive, et son intelligence éternelle devient vôtre.

Intégrez à vos méditations ou vos prières la compréhension que l'idée du «je» qui vous inspire actuellement ne créera pas de lien cosmique. Vous ne pouvez posséder un esprit nouveau avec des idées anciennes. Comme le dit le Christ: «On ne peut pas verser du vin neuf dans de vieilles outres.» C'est pourquoi vous devez commencer par *voir ceci*; puis vous laisserez ces nouvelles idées – cette nouvelle connaissance – vous lancer sur la Voie libératrice de la Vérité. Laissez ces idées spéciales se développer en vous en faisant votre part pour favoriser cette croissance nécessaire. Puis observez ce qui se passe.

Leçons propices à l'auto-analyse

Pour le meilleur ou pour le pire, la qualité et le contenu de votre vie sont déterminés par ce à quoi vous êtes relié.

☾

Vous vous percevez comme étant relié au monde, mais en fait vous êtes relié aux idées sur le monde que vos sens ont défini pour vous.

☾

Nous comprenons tous, intrinsèquement, que nous ne sommes pas censés nous métamorphoser en chaque état qui passe.

☾

Avant de pouvoir espérer résoudre une situation conflictuelle dans votre vie, vous devez d'abord voir à quel niveau et de quelle façon vous y êtes relié.

☾

Prier, ce n'est pas demander des faveurs à Dieu, mais c'est avant tout être avec Lui, puis en Lui.

VOUS NE POUVEZ PAS APPRÉCIER VRAIMENT LE MONDE TANT QUE LA MER ELLE-MÊME NE COULE PAS DANS VOS VEINES, TANT QUE VOUS N'ÊTES PAS VÊTU PAR LES CIEUX ET COURONNÉ PAR LES ÉTOILES, ET TANT QUE VOUS NE VOUS VOYEZ PAS COMME LE SEUL HÉRITIER DU MONDE ENTIER ET MÊME PLUS, CAR CHAQUE HOMME EST SON SEUL HÉRITIER TOUT COMME VOUS.

W.J. TURNER

chapitre 6

Cultivez le moi invincible en vous

La prière n'est pas ce que l'on pense. La vérité c'est que nous avons tous reçu une foule d'informations – surtout erronées – directement et indirectement, qui nous a inculqué une connaissance très limitée et souvent puérile de la prière, de sa nature ou de son but. Pis encore, cette «connaissance de la prière», de son pouvoir potentiel et de la relation qu'elle entraîne, n'appartient en quelque sorte qu'à nous seuls. Toute forme de fanatisme (et je clarifierai ce terme: tout ce qui vous pousse à envahir un autre être humain qui ne vous a pas envahi) est nocive pour toutes les personnes concernées. Je voudrais démystifier en partie la prière tout en vous fournissant quelques idées neuves et formidables. Nous avons parlé de l'importance des nouvelles idées pour trouver la sorte de vie intérieure que nous recherchons. Mais je désire apporter ici quelques précisions qui vous paraîtront peut-être inutiles. Si c'est le cas, je vous demande encore un peu de patience.

Le Seigneur veille à ce que celui qui fixe son esprit sur Lui demeure parfaitement en paix.

ANCIEN TESTAMENT

Pourquoi la vie est-elle divisée entre les moments où vous vous rendez dans un lieu particulier pour faire vos dévotions et les autres? Pourquoi est-elle divisée entre les moments où vous êtes renversé par la vie au point que soudain vous ne pouvez cesser de dire: «Mon Dieu, où êtes-vous... Pourquoi m'avez-vous abandonné?» ou «Je vous en prie, Christ, viens dans ma vie et sauve le pécheur que je suis». Pourquoi la vie est-elle divisée entre les moments où une personne a soif d'une relation avec quelque chose de supérieur et ceux où *rien dans cette personne n'aspire à cela*? N'ayez pas l'*audace* de prétendre que vous êtes différent: que vous n'êtes pas consumé par votre quête de richesse, que vous ne vous battez pas pour que l'on vous aime et tout le reste; que vous ne vous demandez pas ce que vous devez faire de votre vie jusqu'à ce que vous compreniez que vous ne pourrez pas faire à votre tête ou qu'un malheur vous terrasse. C'est alors que la personne se tourne vers Dieu, y compris les gens qui disent: «Je ne crois pas à la prière. Je ne prie pas.»

Les idées qui suivent risquent de vous stupéfier et j'espère qu'elles le feront. *Tous les humains* prient constamment mais à leur insu. Le problème, au fond, c'est qu'ils ignorent ce pour quoi ils prient. Nous avons déjà parlé de cela. L'espoir est une forme de prière. Faites votre possible pour comprendre cette vérité. Par exemple, est-ce que vous ne passez pas votre temps à espérer que certains événements se produiront? Avez-vous déjà songé que votre espoir de devenir riche est une sorte de prière adressée au dieu de l'argent? Je sais que vous ne dites pas: «Je vous en prie, ô seigneur des billets de dollars, déversez-vous sur moi.» Peut-être que vous le faites. Je l'ignore. Vous ne pensez pas: «Ô dieu Mars, terrasse celui qui a proféré cette médisance à mon sujet.» Mais vous l'espérez peut-être. Le désir de vengeance est peut-être le centre de votre vie comme c'est le cas pour bien des gens. Et assouvis ou non, ces espoirs, attentes et souhaits cachés *sont* des prières.

Je tenterai donc ici d'ouvrir l'énorme barrière qui existe dans l'esprit de tous les hommes et les femmes selon laquelle:

a) il n'est pas réaliste de vouloir percer les secrets perdus de la prière;

b) ils *connaissent* déjà les secrets de la prière... En dépit du fait que leur vie, jusqu'ici, n'a été qu'une suite d'actes récurrents visant à repousser les ennuis qui les accablent constamment.

Ne voyez-vous pas que votre vie est comme cela? Examinez-la attentivement. Vous éprouvez tel sentiment, puis tel autre. Puis vient telle nouvelle, puis telle situation. Comme des vagues qui se fracassent sur le rivage pendant que vous essayez de comprendre pourquoi. Combien d'entre vous ont déjà pensé: «Pourquoi ceci arrive-t-il à quelqu'un d'aussi gentil que moi?» Vous me comprenez fort bien. Nous passons notre temps à nous dire: «Je ne mérite pas cette souffrance! Je ne suis pas censé me faire corriger ainsi par la vie.» Donc nous prions d'une manière ou d'une autre pour demander une chose qui est soit reliée à ce que nous voulons, soit plus grande que l'état dans lequel nous nous trouvons. Et nous ne comprenons pas encore que toutes nos prières, quelle que soit la forme qu'elles revêtent, ont pour objet une chose que nous ne comprenons pas. Ce qui explique pourquoi la vie nous donne ce que nous ne voulons pas.

Le *vrai* but de vos prières, que vous n'avez pas encore saisi, est de pouvoir vous posséder vous-même. Pensez-y! Quand vous étiez enfant – et même maintenant dans votre vie adulte –, vous alliez à la plage et les vagues vous jetaient par terre. Puis, au moment où vous vous releviez, une autre vague vous jetait de nouveau par terre. Cette métaphore semble parfaitement appropriée pour décrire certains jours de notre vie, ne croyez-vous pas?

Nous tombons dans un état, nous sommes en colère contre quelqu'un, et cela nous jette par terre; puis soudain, survient un autre état, du remords devant notre cruauté, qui nous jette par terre au moment précis où nous nous relevions! Aussi pensons-nous: «Comme j'aimerais prendre ma vie en main de manière à ne pas être à la merci de toutes les forces qui me gouvernent.» Vous vous couchez le soir et vous êtes assailli par d'affreux cauchemars ou des frayeurs constantes. Vous vous levez le matin et vous êtes envahi par des sentiments de regret ou d'échec face aux tâches qui vous incombent avant même de les accomplir.

Et c'est ainsi, aussi lent que soit ce processus, qu'une personne commence à comprendre ce qui manque vraiment dans sa vie. «Voyons voir, je veux m'unir à quelque chose qui me donnera la force, le poids que je ne trouve pas en moi-même.»

Il nous arrive à tous de nous égarer dans un état obscur. À un moment donné, il faut cesser de blâmer les événements pour ces états obscurs et comprendre la réalité manifeste de votre condition actuelle: seul, vous n'avez pas suffisamment de poids pour résister à l'assaut des vagues. À mesure que cette compréhension grandit en vous, vos requêtes se transforment. La personne qui manque de maturité demandera de l'argent, une jolie silhouette, une nouvelle relation amoureuse, une nouvelle résidence, un meilleur emploi, une meilleure position sociale, une récompense – parce qu'elle croit à tort que ces choses matérielles lui donneront du poids et une impression de permanence, ce que, bien sûr, elles n'ont pas le pouvoir de faire.

Petit à petit, vous comprenez que vous avez, votre vie durant, empilé tous ces faux poids sur vous-même mais n'en êtes pas moins fauché par les vagues chaque jour ou presque! Vous vous rendez compte que ce n'est peut-être pas tant que vous êtes incapable de demander la résistance nécessaire, mais que vous *ignorez ce que vous demandez* ou *comment le demander*. Mais il *existe des manières* de demander que vous ne comprenez pas encore.

Vous connaissez sûrement la parabole de l'enfant prodigue, qui, ayant grandi dans une excellente famille, quitte celle-ci et dilapide tout ce que son père lui a donné pour s'éveiller un matin dans une porcherie avec pour seule nourriture quelques enveloppes de maïs. Jetant un regard sur lui-même et autour de lui, le jeune homme se dit: «Je suis un idiot. Pourquoi suis-je parti de chez moi?» À ce moment-là, il reprend le chemin de la maison.

L'histoire dit que son père, le voyant venir de loin, appelle son fils aîné et lui ordonne de tuer le veau gras. Pris d'une rage folle, ce dernier s'écrie: «Je suis resté auprès de vous toutes ces années. Je vous ai donné tout ce que j'ai et maintenant ce bon à rien (on peut dire qu'ils avaient vraiment de l'affection l'un pour l'autre) revient à la maison après avoir dilapidé tout votre bien et vous lui faites une fête! Pourquoi?»

La réponse que lui donne le père dans le Nouveau Testament est, en essence: «Parce que mon fils était mort et qu'aujourd'hui, il est ressuscité. Il était perdu et maintenant il est retrouvé.»

Laissez-moi vous dévoiler le secret contenu dans cette réponse. J'espère qu'à ce point-ci, cette petite graine pourra pénétrer en vous et germer. Voici la vraie réponse que renferme la réponse du père:

«Je fais ceci pour mon fils parce qu'il me l'a *demandé*. À travers ses actions, ton frère m'a *demandé* de lui redonner mon amour et ma loyauté. Tu as toujours été à mes côtés, aussi ta loyauté n'a-t-elle jamais été mise en doute. Mais ton frère était *parti*. Il était perdu et son retour à la maison constitue une requête spéciale en vertu de laquelle il demande à faire de nouveau partie de mon royaume.»

Cette parabole nous indique qu'il existe une sorte de requête différente. La plupart d'entre nous pensent que prier, c'est *avant tout* demander quelque chose. «Je vous en prie, faites ceci pour moi...» ou «Pourquoi ne puis-je pas...?» ou «Ne pourriez-vous pas...?» Nous pensons que la prière est en quelque sorte reliée à tous ces souhaits centrés sur nous-mêmes. Mais ce dont il est question ici, c'est de l'*état d'esprit* que chaque être humain doit cultiver intérieurement pour que sa requête lui soit accordée. Le fils «perdu» *a demandé* une nouvelle vie en reconnaissant ses torts et en revenant à la maison. En passant, il ignorait quel sort l'attendait et cela lui importait peu. Voici les pensées qu'il ruminait sur le chemin du retour: «Tout ce que je possède, c'est mon ego qui s'est trompé.» Il le savait. Aussi sa connaissance de sa véritable condition et le geste qu'il posa ensuite en fonction de celle-ci étaient une forme de requête supérieure.

Je tente ici de vous communiquer qu'il y a des manières de demander que vous ne comprenez pas en ce moment. Et tant que vous ne comprendrez pas comment solliciter ce que vous voulez vraiment, vous continuerez de le faire à *votre manière,* c'est-à-dire à partir d'une nature qui ne peut pas faire la *différence* entre ce qui est vraiment bon pour *vous* et ce qui ne l'est pas. C'est là un problème de taille auquel nous nous heurtons tous. Parce que, à l'heure actuelle, notre vie n'est rien d'autre qu'une série de requêtes, formulées dans un esprit «religieux» ou simplement motivées par la cupidité ou l'ambition. Nous passons notre temps à demander puis à ne pas comprendre pourquoi, en dépit de toutes nos requêtes, notre vie semble ballottée comme une feuille au vent.

Aussi laissez-moi commencer par ce qui suit. Vous voudrez peut-être coucher l'idée suivante sur papier afin d'y réfléchir à votre aise. J'ai mentionné qu'il y avait diverses façons de demander. Dans le monde dans lequel nous vivons, vous et moi, *la réaction est la requête.* Votre façon de réagir est aussi une requête. Voyez-en la preuve dans l'exemple suivant:

Quelqu'un entre dans votre bureau ou chez vous et tient des propos qui vous bouleversent terriblement. Vous réagissez en entrant dans un état négatif. À travers cet état négatif (qui constitue votre réaction à l'événement), ne demandez-vous pas formellement à tous ceux que vous rencontrerez ce jour-là qu'ils vous voient et vous traitent en fonction de l'état que vous reflétez? Et ne s'agit-il pas d'une requête formelle de votre part de vivre dans l'état qui vous submerge à ce moment-là? Pensez-y.

Vous protesterez peut-être en disant: «Ma foi, non, je ne demande pas formellement à être possédé par un esprit obscur. Le sentiment négatif a surgi et m'a submergé.»

Ce que vous ne comprenez pas encore, c'est que l'état mental ou émotionnel qui vous submerge *n'a aucun droit de vous submerger*, AUCUN! Aucun état obscur n'a d'autorité sur vous! Nul état qui vous oblige à un compromis avec vous-même n'a le droit de commander la personne que vous êtes vraiment! Est-ce là votre vie? Répondez franchement. Vous vous identifiez pratiquement à chaque état qui vous visite. Oui ou non? À n'importe quel état qui apparaît et se fait passer pour vous. Surgit l'hostilité et vous devenez hostile; la cruauté et vous êtes cruel; la peur et vous voilà effrayé; la nervosité et vous avez peur; l'inquiétude et vous devenez crispé. Chaque fois que vous réagissez en acceptant ou en niant la présence de cet état, vous priez secrètement pour ne jamais vous posséder vous-même.

Je vous demande: Pour quoi prions-nous? Nous prions, si nous prions, parce que nous savons que nous ne sommes pas censés être littéralement emportés dans une direction ou l'autre; renversés et transformés en êtres sombres ou remplis de haine. Nous *savons* que nous ne sommes pas censés exploiter les autres pour nous libérer de la peur qui nous tenaille. Nous savons cela sur nous-mêmes. Pourtant, chaque état qui nous visite, chaque sentiment désespéré qui nous submerge, nous absorbe complètement. Et quand il nous transforme en ce qu'il est, nous sommes incapables de réagir autrement qu'à partir de cet état. Ce qui équivaut à demander tous les états qui s'accordent avec cet état négatif ou lui ressemblent. Me suivez-vous?

Cette nouvelle constatation met en lumière deux points importants que j'illustrerai pour vous au moyen d'une sorte d'image globale. Tout d'abord, nous savons que nous ne sommes pas censés passer notre vie dans la domination. Nous possédons en nous une compréhension inhérente et divine qui sait que rien n'est censé nous dominer, rien! Mais en ce moment, notre vie n'est rien d'autre qu'une série de justifications que nous nous donnons à nous-mêmes pour expliquer la raison de cette domination et comment ne plus jamais nous laisser dominer. Et cela englobe la domination par ce que nous appelons excitation, parce que, dans ce monde de contradictions, cet état euphorique finit toujours par se muer en ennui ou en dépression. Nous voilà donc, jour après jour, *dominés* par un état mental ou émotionnel après l'autre; submergés si totalement qu'il n'y a plus de différence entre nous et ce qui nous submerge.

Et la seconde facette de cette image, qui est aussi notre seconde punition dans notre vie telle qu'elle est actuellement, est encore plus fascinante. Elle se rapporte au fait que chaque état qui nous submerge cède la place à un *nouvel* état qui nous submerge, lui aussi. De telle sorte que nous ne sommes jamais vraiment en possession de nous-mêmes. Nous passons secrètement notre vie à être possédés par ces états qui alternent de façon mécanique.

Je me demande si cela vous frappe aussi profondément que je le voudrais. Car, tant que ces idées – qui nous obligent constamment à nous justifier à nous-mêmes pourquoi nous venons juste d'être dominés et ce que nous sommes devenus – inspireront notre vie, nous serons éternellement victimes de *cette* idée qu'est l'ego, le «je». Parce qu'une vie vécue à ce niveau de lucidité n'offre pas de choix véritable, seulement l'illusion du choix. Maintenant, faites de votre mieux pour comprendre la séquence psychique ci-dessous afin de voir la vérité qui vous est révélée ici.

La haine nous envahit puis elle cède la place à un sentiment de culpabilité; puis à ce sentiment se substitue une tentative de se faire pardonner qui est remplacée par un nouvel état. Entre-temps, au même moment où tout ceci a lieu, nous sentons confusément que nous sommes censés être plus que ce sens du soi fugitif. Et la raison de ce pressentiment est liée au fait que nous comprenons intrinsèquement que nous ne sommes pas censés nous métamorphoser continuellement en chaque état qui passe! Voici la preuve que cette intuition est intrinsèque.

Êtes-vous d'accord pour dire – pour reprendre notre métaphore initiale – que ces états négatifs qui vous submergent vous ballottent çà et là? Oui. Et cette prise de conscience intérieure soulève une importante question qui exige réflexion: si vous savez que ces états vous ballottent comme une bulle à la surface de l'eau, quel est votre centre? Prenez votre temps. Je vous demande de réfléchir à ceci: quel est le fondement sur lequel ces vagues avancent et se retirent? Vous savez ce que font les vagues. Elles vous poussent de-ci de-là; vous punissent. En ce moment du moins, vous ne connaissez pas votre fondement. Mais le fait est que vous ne pourriez pas ressentir ces états comme des vagues *si vous n'aviez pas de fondement*. Vous ne pourriez savoir que ces états négatifs tournent en rond à moins qu'une partie de vous-même demeure *stable*. C'est ce que j'entends par nature intrinsèque. C'est la partie qui est déjà là à l'intérieur de vous et qui possède la force nécessaire pour opérer la véritable transformation personnelle qui donnera naissance à l'Être immuable que vous aspirez à être.

Approfondissons maintenant cette leçon en nous penchant sur l'un des états qui nous visitent. Que pensez-vous de l'inquiétude?

Lorsque vous êtes inquiet, diriez-vous que vous tenez la barre de votre vie ou que vous vivez sous la férule de l'inquiétude? Cela est assez clair, n'est-ce pas? Rappelez-vous ce que nous avons dit plus tôt au sujet de la responsabilité, du sacrifice, de la compassion. Et le fait que ces idéaux, que vous et moi appelons des idées, sont éternels puisqu'ils existaient déjà lorsque Dieu a créé le ciel et la terre. La colère, la mesquinerie et la peur sont aussi éternelles. Ces états, comme leurs contreparties positives, n'existent pas dans le temps comme vous et moi le pensons. Je ne veux pas m'étendre trop longuement sur ce sujet mais les vieux enseignements sur les anges et les démons, les dieux et déesses, Vénus, Jupiter et Mars, tous ces mythes et histoires reflétaient un certain degré de perspicacité; une intuition sur les états éternels créés par Dieu quand Il a dit: «Qu'il y ait...» Ce que cela signifie pour nous, c'est que l'Amour et tous les états positifs et négatifs de moindre importance sont éternels. Et leurs influences positives balaient littéralement notre planète, s'interpénétrant comme elles nous pénètrent, nous.

Précisons que l'amour vrai ne peut se muer en haine. L'ange de l'Amour ne peut se métamorphoser en démon de l'obscurité, pas plus que le démon de la guerre ne peut se changer en ange de la Compassion. Ces états sont figés dans l'éternité. Et je vous dis que, tels que nous sommes actuellement, nous pensons que tel ou tel état vient à moi, mais le fait est qu'il n'existe pas de *moi* distinct. Pas vraiment. Il n'y a que ces états et le sens fugitif du soi qu'ils produisent à notre insu. Nous luttons contre l'état, ou l'endossons s'il est agréable en ayant l'impression de faire quelque chose d'important ou d'être *quelqu'un*. Mais parce que cet état ne nous appartient pas vraiment et qu'il nous submerge littéralement, il balaie aussitôt le sens du soi que nous en dérivons. Soudain, nous avons le sentiment qu'il nous manque quelque chose. Nous nous demandons où est passée notre vie – notre sens du soi. Ce qui nous amène à lutter constamment pour surmonter ce sentiment de perte. Cela revient à dire que nous tentons de trouver un pouvoir qui nous permette soit de surmonter ces états qui nous visitent continuellement soit de nous accrocher à l'un de ceux qui nous donnent l'impression d'être forts et aimants.

En vérité, vous êtes plus que *n'importe lequel* de ces états. Pouvez-vous imaginer cela? Essayez, je vous en prie.

Ne serait-ce pas merveilleux si, la prochaine fois qu'une vague de colère vous balaiera, vous étiez plus que la colère? Si, dès le moment où vous sentez poindre l'anxiété ou l'accablement, vous étiez plus que cet état? Songez à la portée de ceci dans notre monde physique seulement: les gens sont cruels les uns envers les autres parce que lorsqu'ils sont en colère ou déprimés, ils n'ont d'autre choix que d'exprimer cet état. Et leur réaction attire vers eux exactement ce qu'ils affirment ne pas vouloir. Songez à ce qui arriverait si vous étiez plus que cet état. Et je vous dis que le but de la découverte de votre vraie vie intérieure est de vous montrer qu'il y a une partie de vous qui est déjà plus que n'importe lequel de ces états pris séparément ou tous ensemble.

Nous possédons en nous un fondement sur lequel ces vagues d'état se déplacent et se brisent. Mais au lieu de vivre à partir de ce fondement, nous nous identifions constamment avec chaque état qui survient et sommes continuellement fauchés par les vagues. Et tant que nous continuerons de nous laisser ainsi ballotter, nous continuerons d'être dominés; de nous considérer comme des victimes; de désirer encore et encore nous posséder tout en pensant, lorsqu'une vague se brise sur nous, «si seulement ma vie pouvait être comme ceci... ou comme cela».

Songez à ce que serait votre vie si vous demandiez à vivre en vous tenant sur le Fondement de Dieu. À vous tenir sur un sol inébranlable. Comment demande-t-on à se tenir sur ce Fondement qui sait qu'il fait partie du Tout sans pourtant être emporté par celui-ci? Vous rendez-vous compte à quel point tout ceci est terre à terre même si cela se trouve très haut dans le ciel? Vous est-il déjà arrivé de vous trahir vous-même? De vous vendre pour une bouchée de pain? Ne serait-ce pas merveilleux de ne plus jamais être floué? Avez-vous déjà été emporté par la cupidité? Ne serait-il pas agréable de ne plus jamais être emporté? Parce que c'est de cela qu'il s'agit. Mais vous devez le demander. Vous devez apprendre à demander de la «bonne» manière pour obtenir cette sorte d'aide. Et la «bonne» manière a trait à l'*état d'esprit* dans lequel vous demandez.

La beauté de cette nouvelle requête tient au fait que, lorsque vous commencerez à effectuer ce genre de travail intérieur, vous découvrirez qu'il existe des façons de vous entraîner à être plus que l'état du moment. Il s'agit d'être plus conscient de cet état et de ne pas l'exprimer. Parce que si vous n'exprimez pas l'état qui en temps normal vous dominerait, vous devenez conscient pour la première fois tant de cet état que du fond sur lequel il s'agite. Voyez-vous ceci?

J'aimerais que vous mémorisiez le fait supérieur suivant. *Tous vos états émotionnels sont des visiteurs.* Ils ne sont pas vous. Ils font partie de vous dans la mesure seulement où vous vous identifiez à eux et devenez ce moi.

Aussi quand apparaît ce visiteur, votre aptitude à le reconnaître comme tel fait que, brusquement, il y a vous *et* l'état. Il y a vous *et* la condition qui vous dominait auparavant parce que vous ne la reconnaissiez pas comme une visiteuse. Vous pensiez être obligé de vous en accommoder parce que vous la confondiez avec «vous-même». Vous vivrez une expérience tout à fait différente parce que vous serez vigilant; vous trouverez votre nouveau sens du «je» dans la *qualité révélatrice* plutôt que dans les qualités qui vous sont révélées.

Donc supposons que ces états, quels que soient leurs qualités, se précipitent sur vous et vous submergent. En temps normal, ils vous emporteraient et vous diraient qui vous êtes parce que vous ne connaissez pas la partie de vous qui est immuable. Il y a en vous une partie qui est vraiment éternelle. Mais vous ne pourrez jamais demander une vie intérieure merveilleuse et vraiment dynamisante tant que vous vous identifierez à chaque état émotionnel qui vous traverse. C'est pourquoi vous devez cultiver le détachement. Et cette forme de détachement conscient constitue une prière de deux manières.

Premièrement, lorsque vous commencerez à vous réveiller et à vous détacher consciemment de ces états, vous ne vous perdrez plus en eux. Cela exige une maîtrise de soi élémentaire. Deuxièmement, lorsque vous serez conscient de vous-même de cette manière nouvelle, vous endiguerez aussi l'état qui vous visite, et cet endiguement conscient prouvera que vous êtes «supérieur» à cet état, car seul ce qui est supérieur peut contenir ce qui est inférieur. L'inverse est impossible. Aussi, pour demander une relation avec ce qui ne peut pas être emporté, accomplissez ce travail intérieur. Apprenez à demander une chose qui soit permanente, qui ne tremble pas, qui ne se mue pas en son contraire, en vous efforçant de vous détacher de ce à quoi vous vous êtes identifié jusqu'ici. Il s'agit là d'une forme de prière. Et vous pouvez la pratiquer n'importe quand.

Trouvez votre Fondement immuable. Apprenez à vous y tenir en vous entraînant à ne pas vous laisser emporter par les états qui vous visitent.

Leçons propices à l'auto-analyse

Tous les hommes et femmes de cette planète prient continuellement à leur insu parce qu'ils ne comprennent pas que les attentes sont une forme secrète de prière.

❆

Pour vous libérer de ce dont vous *ne voulez pas*, vous devez commencez par devenir conscient de ce qui est invisible en vous-même.

❆

Dans le monde où nous vivons, vous et moi, réaction est synonyme de requête.

❆

Tous les états émotionnels sont des visiteurs temporaires et non des moi; nous les confondons souvent avec notre moi en nous identifiant inconsciemment à leur apparition temporaire dans notre psyché.

❆

Tant que vous vous identifiez aux états émotionnels temporaires qui vous traversent, il ne peut pas vous venir à l'idée de demander la vie intérieure vraiment dynamisante qui est le début de l'Éternel.

❆

NOUS NE SOMMES PAS DES ÊTRES HUMAINS QUI VIVENT DES EXPÉRIENCES SPIRITUELLES, MAIS DES ÊTRES SPIRITUELS QUI VIVENT DES EXPÉRIENCES HUMAINES.

PIERRE TEILHARD DE CHARDIN

chapitre 7

Un nouveau savoir à l'origine de nouvelles prières

Il était une fois un jeune homme qui avait l'habitude de se rendre au gymnase tous les mercredis et samedis parce qu'il aimait s'entraîner à l'aide des appareils. Il finissait généralement ses exercices à peu près au même moment qu'un homme plus âgé, et tous deux se douchaient et s'habillaient en même temps.

Un jour qu'ils achevaient de s'habiller, le jeune homme jeta un coup d'œil sur son compagnon qui se comportait toujours de la même manière étrange depuis deux ans. Il tentait, au prix d'un combat titanesque, d'insérer ses pieds dans ses chaussures non délacées! Il multipliait ses efforts, puis frappait son pied par terre, se tortillait pour le faire entrer dans la chaussure puis le poussait vers l'avant et insérait son doigt dans la chaussure. Ressortait son doigt et proférait un juron. Puis recommençait encore et encore.

Quand un esprit est simple et reçoit la sagesse divine, le passé disparaît – les moyens, les maîtres, les textes, les temples tombent; l'esprit vit maintenant, et passé et futur se fondent dans le moment présent. Toutes les choses deviennent sacrées par rapport au présent. Toutes les choses se dissolvent en leur centre par leur cause et dans ce miracle universel, les miracles insignifiants et particuliers disparaissent.

R.W. EMERSON

Le jeune homme assistait toujours à ce drame avec éton-
nement parce que, immanquablement, le vieil homme,
après s'être battu avec sa chaussure pendant quelques
minutes, secouait la tête, retirait la partie de son pied qu'il
avait réussi à insérer dans sa chaussure, prenait l'objet
offensant dans la main, le délaçait, le remettait après y avoir
fait quelque ajustement et le laçait enfin.

Le jeune homme l'avait observé depuis ce qui lui paraissait des années, mais aujourd'hui, il en avait assez. Il lui arri-
vait de voir la scène en rêve et en se rendant au gymnase, il
songeait à l'épreuve que l'homme allait traverser. Il ne pouvait pas se taire plus longtemps: «Monsieur, je ne voudrais
pas être indiscret, mais je vous observe depuis des années.
Chaque mercredi et samedi, vous tentez de comprimer vos
pieds dans vos chaussures, vous vous battez avec elles en
poussant des jurons, puis vous ôtez votre chaussure, la déla-
cez, puis la remettez.» Il inspira profondément et reprit:
«Monsieur, je ne voudrais pas être indiscret, mais il existe
d'autres manières de s'y prendre. Pourquoi ne délacez-vous
pas votre chaussure d'abord? De plus — le jeune homme fit
une pause et secoua la tête —, il y a autre chose qui
m'échappe. De temps en temps, vous réussissez à faire
entrer de force votre pied dans votre chaussure puis vous la
retirez quand même! Pouvez-vous m'expliquer cet étrange
comportement?»

L'homme répondit: «Ma foi, mon fils, c'est très simple. Si
je retire ma chaussure, c'est parce que ma chaussette s'entor-
tille sur mon gros orteil et que cela est inconfortable. C'est
pour replacer ma chaussette que je retire ma chaussure.»

«Alors là, rétorqua le jeune homme, je n'y comprends
plus goutte. Si cela se produit la plupart du temps et que les
autres fois, vous n'arrivez même pas à insérer vos pieds dans
vos chaussures lacées, pourquoi ne vous y prenez-vous pas
de la *bonne* façon la *première* fois?»

Le vieillard lui jeta un regard qui exprimait à quel point il était désolé de voir que l'on puisse ne pas comprendre une chose aussi évidente, puis il dit: «Eh bien! mon fils, un jour, je réussirai peut-être!»

Nous connaissons tous des gens qui sont persuadés qu'ils réussiront un jour. Mais parlons de nous-mêmes. Quand comprendrons-nous que nos méthodes habituelles ne marchent pas? Jour après jour, nous nous battons pour accomplir une tâche qui, même une fois réalisée, répond rarement au résultat que nous *espérions*. Je vous défie de le réfuter. Et pourtant, ce qui est assez étonnant, c'est que malgré ces résultats, nous essayons *encore* de comprimer «ceci» et «cela» dans notre vie! Nous obligerons «cela» *à fonctionner*, peu importe la façon! Et nous connaissons un tas de façons nouvelles de comprimer nos pieds dans nos chaussures. Un autre voyage. Un nouveau projet. Toutes ces manières différentes d'accomplir le même rien.

Loin de moi la volonté de vous peindre un sombre tableau. Au contraire. J'essaie plutôt de jeter une lumière nouvelle et très nécessaire sur votre compréhension actuelle afin de vous faire voir qu'à chaque instant pratiquement, vous recevez ce pour quoi vous priez.

Que faites-vous de cette information? Voici ce que font la plupart d'entre nous. Ils s'exclament: *«Cela ne peut pas être vrai!* Je souffre, j'ai peur, je suis en colère, je suis inquiet. Cela ne peut pas être vrai. J'ai des ennemis; certaines personnes me veulent du mal. Êtes-vous en train de dire que je prie pour cela? Je vis dans un monde qui ne me comprend pas du tout. Dites-vous que je demande qu'il en soit ainsi?»

Je vous dis qu'il ne se passe pas une fraction de seconde où vous n'obtenez pas ce que vous demandez. Combien d'entre vous peuvent s'échapper d'eux-mêmes pendant une seconde et voir que:

a) cela est peut-être vrai;

b) et que si cela est vrai, et je m'apprête à vous le prouver, nous pouvons sincèrement en comprenant cette vérité-en-action invisible espérer modifier ce que nous recevons de la vie?

Oui, un espoir sincère, un avenir authentique vous attend si vous comprenez que ce que vous éprouvez en ce moment même constitue une requête tacite. En supposant que cela soit vrai, et cela l'est, cela signifie que nous pouvons déterminer quelle est la partie de nous qui formule ces requêtes et apprendre à les modifier afin de transformer notre vie... Mais revenons un peu en arrière.

Dieu est immense. Son infinité, l'infinité de la Vérité de ce qui est Tout et Absolu, déborde d'une immense compassion. Cette compassion s'exprime dans le fait que chaque être humain peut, à chaque instant, sous une forme ou une autre, créer ce qu'il veut dans sa vie.

Le problème, et il est de nature spirituelle, c'est que la plupart des hommes et des femmes ignorent qu'il y a en eux une nature dont les aspirations sont contraires à leurs véritables intérêts. Dieu ne prend pas en considération la maladie de la société. Il ne se soucie pas du fait que tel homme ou telle femme vit dans telle condition ou a subi tel ou tel traitement durant de nombreuses années. Dieu ne se soucie aucunement de ces situations individuelles. Aucunement! Vous savez pourquoi? Parce que chaque individu qui a été placé dans telle situation ou circonstance peut comprendre que la vie qui lui est donnée est sa vie *personnelle*; et celle-ci peut être reliée à Quelque chose qui lui montrera que ce qu'il obtient dans cette vie personnelle dépend du niveau de vie qu'il épouse et incarne. Chacune de nos vies reflète – infailliblement – la profondeur de notre compréhension ou de notre ignorance.

Dieu ne viendra pas vous éclairer! Avez-vous ressenti un coup au cœur en entendant cela? Dieu ne viendra pas vous dire: «Voici la leçon que tu dois apprendre dans cette vie-ci.» Il dira que votre vie vaut la peine que vous reconnaissiez la nécessité de comprendre votre leçon.

C'est ce que j'entends par parfait. Vous avez entendu parler de l'égalité d'accès à l'emploi? Dieu est tout à fait en faveur de l'égalité des chances. Il est tout à fait équitable. Débordant de compassion. Parce que la moindre âme qui se trouve sur cette planète possède en elle la capacité de créer ce qu'elle reçoit à partir de ses requêtes. Et vous ne recevez rien d'autre que ce que vous demandez. Donc si votre cœur est lourd, si vous êtes en colère, effrayé, impatient, agité, obsédé par l'argent ou quel que soit votre état quotidien, *vous avez demandé cette souffrance à travers les requêtes que vous n'êtes pas conscient de faire.*

Si vous vous représentez la situation dans son ensemble, vous ne serez peut-être pas enchanté, mais donnez-vous la peine de regarder et cela éclairera votre lanterne. Dieu ne prend pas en considération le fait que vous êtes conditionné sans le savoir; que cette nature conditionnée fait que vous recevez chaque jour ce qui vous punit; et que cette nature conditionnée vous inspire de nouvelles prières qui vous apportent de nouvelles punitions. Et cela continue seulement parce que vous ne vous comprenez pas encore.

La personne ignorante qui accepte ce qu'entraîne l'ignorance reçoit ce que l'ignorance demande. Remplaçons le terme ignorance par un autre qui serait plus clair dans le contexte de notre étude: la personne qui ne se connaît pas elle-même et accepte sa vie telle qu'elle est sans cette *connaissance de soi* reçoit de la vie ce qu'invite cette non-connaissance de soi. Et elle n'a aucune excuse. Absolument aucune. Elle peut avoir de multiples «raisons», mais elle n'a pas d'excuse pour vivre dans la noirceur. Le problème, c'est que nous ne nous voyons pas ou, pour être plus précis, *ne voulons pas* nous voir.

L'homme qui essaie de comprimer ses pieds dans ses chaussures peut-il comprendre, tous les mercredis où il revient chez lui en voiture, qu'il est en colère pour s'être battu avec ses chaussures? Et que, durant tout le trajet du retour, il reçoit ce qu'il a demandé? Comprenez-vous cela? Et que, si un autre conducteur lui coupe la route et qu'il explose alors de rage et commet des actes dangereux qui mettent sa vie ou celle d'une autre personne en danger, cet homme comprend-il que *ce* moment de danger, qui pourrait le priver de sa vie physique, il *l'a réclamé?* Si vous lui parliez comme je vous parle en ce moment, il dirait: «Ce n'est pas vrai! C'est ce monde qui est plein de cinglés!» Mais la vraie réponse, la réponse invisible et non désirée, c'est que c'est un monde dont vous faites partie. C'est un monde peuplé d'êtres ayant un certain degré de compréhension de soi, qui continuent – jour après jour – de faire les mêmes choses et de ne pas comprendre les conflits, la confusion et la misère qu'ils créent.

J'aimerais que vous réfléchissiez à ceci. Il y a deux mille ans, durant les journées consacrées au culte, les hommes et les femmes se réunissaient en petits groupes et discutaient de leurs problèmes. Ils parlaient de l'empire romain diabolique; des taux de change pratiqués par les marchands d'or au temple. Ou encore ils parlaient des avantages de consommer certaines céréales. Ils bavardaient de choses et d'autres. Puis dès que sonnait la cloche qui annonçait le début du premier service religieux, tous revêtaient un air pieux pour entrer dans le temple et agissaient comme s'ils étaient là pour prier et honorer Dieu. Une fois le service terminé, ils sortaient du temple et allaient manger en échangeant des potins et en se plaignant peut-être de la dureté de la vie. Chacun d'eux, à travers chacune de ses paroles et actions, priait pour obtenir exactement la vie qu'il trouvait difficile à supporter. C'est bien le mot, n'est-ce pas? «Supporter» cette vie. «Mon Dieu, aide-moi à supporter cette vie.» Que Dieu vous aide à voir que la vie que vous *croyez devoir* supporter est précisément la vie que vous supportez. Et que vous n'avez pas d'autre vie que celle-là!

Voici un exercice rapide. La prochaine fois que vous serez gêné, irrité, déprimé ou dans quelque état négatif que ce soit, qu'adviendrait-il si, au beau milieu de cet état, vous entendiez les mots suivants résonner dans votre tête: «Ah, voilà ce pour quoi j'étais en train de prier.» Cela vous donnerait un coup, n'est-ce pas? Un coup qui guérit puisque ce serait la Vérité. Examinons un autre exemple de cette prière inconsciente en action.

Vous vous immiscez dans une conversation et entendez quelqu'un parler d'une chose que la vie lui donne et qu'elle ne vous donne pas; ou peut-être parlez-vous d'une menace qui pèse sur votre avenir de sorte que vous vous retirez de la conversation inquiet ou effrayé et vous efforcez de comprendre pourquoi vous vous sentez ainsi. L'instant d'après, afin de répondre à votre souffrance croissante, vous vous interrogez sur ce que vous pourriez faire. Vous venez ainsi de semer une prière relative à l'état qui a été semé en vous. Vous obtenez alors – parce que Dieu est bon et gracieux – ce que vous avez demandé: une réponse qui vous promet de soulager votre souffrance. Seulement elle en est incapable! Parce que toute réponse que vous acceptez pour soulager votre souffrance est en soi une prolongation secrète de cette souffrance. Et cette Vérité explique en partie pourquoi le Christ a dit: «Ne résistez pas au mal.»

Quand vous comprendrez l'objet de mes propos, quand vous commencerez à accomplir un véritable travail intérieur et à comprendre ce que vous êtes censé faire sur cette planète, vous ne perdrez plus une minute. Nous sommes censés grandir chaque jour de notre vie; notre vie doit servir à approfondir la sorte de compréhension qui nous permettra de nouer une relation avec Quelque chose qui est déjà assez complet; Quelque chose qui nous montre constamment un monde plus vaste, plus grand, meilleur. Et faites en sorte de vous rappeler ceci: vos prières sont exaucées de microseconde en microseconde. Quand vous comprendrez vraiment cela, *vous voudrez être différent.* Vous voudrez faire les efforts nécessaires pour établir une relation avec ce qui est déjà parfait.

Il existe une condition humaine qui a été mise en évidence de diverses manières au fil des générations, mais peut-être jamais aussi bien que dans un épisode particulier du Nouveau Testament. Il révèle la vérité sur la source secrète et le pouvoir des états qui nous dominent à tort.

Vous connaissez l'épisode où, vers la fin de sa vie terrestre, le Christ s'entretient avec ses disciples, leur tenant des propos du genre: «La bonne nouvelle, c'est que je reviendrai. La mauvaise, c'est la manière dont je dois partir.»

Lorsqu'il annonça à ses disciples ce qui allait lui arriver, Pierre s'écria: «Oh, Seigneur, je ne permettrai jamais que cela t'arrive. Je suis à tes côtés. Je t'aime.» Et chaque fois qu'il parlait, le Christ répliquait: «Tu me renieras.»

Vous ne saisissez sans doute pas la différence, mais Pierre employait, pour exprimer son amour, un terme qui désignait un état émotionnel. Le Christ, pour sa part, utilisait le mot *agapê*, un mot grec qui désigne une sorte d'amour éternel, inconditionnel. Donc Pierre dit: «Je t'aime.» Mais le Christ lui demande: «M'aimes-tu de cet *amour-ci* ou de cet *amour-là?*» Or le seul amour que connaissait Pierre était l'état qui le submergeait au moment où il croyait *être amoureux de la Vérité*, où il croyait *aimer Jésus* tellement qu'il ne le renierait jamais. À ce moment éloquent, Pierre ignorait que Pierre avait disparu! Vous aussi ignorez que le vous qui vous est familier n'existe plus quand vous êtes possédé par un état puissant qui s'arroge votre identité.

Je souhaiterais que chaque être humain sur terre comprenne et aime ces Vérités parce qu'il serait permis d'espérer! Je vous le dis, en général, le monde n'a aucune chance parce que nul ne veut comprendre que, tels que nous sommes en ce moment, il n'y a personne qui réponde à son nom. Il y a seulement une suite d'états qui nous donnent quelque chose à quoi résister ou à embrasser et que nous nommons «je». Et c'est dans ce «je» dont j'ai parlé que l'on ne trouve pas le Royaume des Cieux! Vous vous en souvenez? Laissez-moi vous rafraîchir la mémoire brièvement.

Le Royaume est à l'intérieur. À l'intérieur de quoi? Le Christ a dit qu'il était à l'intérieur de moi. Et qu'est ce *moi*? C'est votre sens du «je». Or, si le Royaume se trouve dans le «je», pourquoi ne puis-je le trouver? Pourquoi n'est-il pas actif? Où est-il? En voici la raison: le sens du «je» auquel vous vous identifiez n'est rien de plus qu'une suite d'états temporaires changeants; une entité psychologique conditionnelle produite par des réactions qui sont elles-mêmes des fragments d'expériences passées.

Je vous en prie... ne laissez pas ces révélations vous déséquilibrer parce que je vous assure que cette compréhension nouvelle peut vous apporter d'incroyables bienfaits. En autant que je sache, jamais personne n'a révélé ce qui suit, mais voici ce qui devrait vous encourager.

Savez-vous qu'après avoir renié le Christ trois fois, Pierre finit par comprendre la leçon que nous étudions aujourd'hui? Il eut un choc en comprenant qu'il n'était pas le Pierre qu'il rêvait d'être. Et ce choc fut le réveil vivifiant qui lui permit de voir, de comprendre, que tout ce temps, il avait confondu ses émotions et ses états mentaux avec lui-même. Et à cet instant précis, il comprit qu'il lui faudrait se libérer de tous les faux visiteurs qu'il avait confondus avec lui-même *avant* que le Christ qu'il aimait puisse le visiter intérieurement. À l'instar de Pierre, vous ignorez que vous êtes submergé par un état qui n'est pas réel parce que vous devenez cet état. Vous ne savez pas que vous êtes possédé par un état temporaire, parce que vous devenez littéralement cet état et qu'il n'y a plus de différence entre lui et le «je» qu'il crée en vous. Ils sont une seule et même chose.

Voici une découverte qui suggère une forme particulière de prière-en-action lorsque l'on peut comprendre sa portée supérieure. Ne pas exprimer un état négatif équivaut à révéler le moi qui n'est *pas cet état*. Comprenez-vous? Lorsque vous refusez consciemment d'exprimer un état négatif, vous demandez littéralement la conscience d'un Soi supérieur. Parce qu'en refusant d'exprimer cet état visiteur, vous en prenez conscience et vous voyez soudain comme le fond sur lequel il vient se briser. Dans ce moment de lucidité nouvelle, il y a une partie à l'intérieur de vous, *avec* vous, qui demeurera immuable quand l'état se transformera.

Vous voulez savoir ce qu'est un miracle? Tout d'abord, Dieu est le miracle... c'est-à-dire que Sa Nature Permanente est *le* miracle par excellence. Mais si vous arrivez à ressentir ce miracle à l'intérieur de vous en observant consciemment les états qui vous visitent et repartent, et à comprendre que vous n'avez été rien d'autre toute votre vie qu'un moi conditionnel qui voyageait avec l'état du moment sans jamais vous posséder, cela est incroyable. En passant, et si vous vous rendez compte du moment où vous vous perdez, ne serez-vous pas un peu plus près de vous posséder? Réfléchissez-y, je vous en prie. Est-ce que l'un n'équivaut pas à l'autre? En effet, que signifie ne pas me posséder moi-même? C'est être l'état vagabond qui me visite quel qu'il soit. Je prie pour que cet état soit parfois positif parce que je veux être possédé par la joie. Pas vous? Mais le problème, quand on est possédé par la joie émotionnelle, c'est qu'elle finit toujours par disparaître avec le temps ou la situation temporaire qui l'a créée. Et vous restez vide, submergé par le prochain état qui passe par là en vous demandant: «Où est passée ma joie? Qu'est-il arrivé à mon bonheur?» Et vous le croyez envolé parce que le «vous» qui y était relié, qui était créé par lui, a disparu lui aussi. Et maintenant, vous le cherchez. Vous voulez être plus! Et le cycle recommence. «Si seulement j'avais plus d'argent, plus d'autorité, il ne me quitterait pas!» Oui... il vous quitterait.

Comment pouvons-nous nous exercer à nous détacher des états qui nous visitent? Voici quelques petits trucs. La prochaine fois que vous serez seul et qu'un visiteur geignard surgira – vous savez de quoi je parle, l'état pleurnicheur et négatif qui veut se plaindre de la façon dont va votre vie –, rappelez-vous la prière-en-action secrète dont nous venons de parler. *Refuser d'exprimer cet état équivaut à révéler le moi qui n'est pas cet état.* N'écoutez pas le moi qui veut s'accrocher à sa misère ou la glorifier. Ce sacrifice de soi équivaut à demander à Dieu de vous élever au-dessus de vous-même jusqu'à Lui et Il le fera.

Vous arrive-t-il de parler en mal des autres? Pourquoi le faites-vous? Peut-être ont-ils, par leurs agissements, bouleversé votre sentiment de permanence. Songez-y. *Observez-vous* quand vous dénigrez d'autres personnes et vous verrez que vous avez l'impression qu'ils ont ébranlé le sol sous vos pieds. Mais la réalité est tout autre. Vous êtes simplement attaqué, visité par une sorte d'état méchant et inquiet. Mais quand cet état vous traverse et vous amène à l'appeler «je», votre vie lui appartient. En ne l'exprimant pas et en refusant de faire des commérages, vous demandez un état qui n'a pas besoin de casser du sucre sur le dos des autres pour rétablir votre sens du soi permanent ou vous en donner un.

Vous arrive-t-il d'avoir peur? Si vous refusez de vous abandonner à la peur que vous ressentez, vous la verrez comme l'intrus psychique, le dictateur qu'elle est vraiment. Et cette nouvelle conscience de soi supérieure est la semence d'une révolte intérieure que Dieu veut que vous fomentiez. Il vous donnera ce dont vous avez besoin à *ce* moment-là pour vous libérer de la peur ou de tout autre tyran intérieur.

Comprenez-vous que ces nouvelles actions intérieures sont des *prières*? Et que dire de ceci? Vous arrive-t-il de vouloir avoir le dernier mot? D'avoir l'impression que vous mourrez si vous ne l'avez pas. Le fait de renoncer consciemment à avoir le dernier mot est une prière secrète parce que le vous qui veut l'avoir n'est pas vraiment *vous*… mais plutôt un esprit obscur qui veut avoir l'avantage, un esprit noir et combatif. Et quand vous l'appelez «je», c'est comme si vous remettiez toute votre vie entre ses mains. En revanche, si vous refusez de l'exprimer, vous deviendrez conscient de sa présence en vous et comprendrez qu'elle est une punition et non un pouvoir, ce qu'elle prétend être du moment que vous vous identifiez à elle.

Regardez toutes les nouvelles façons de prier que vous venez d'apprendre. Et en parlant de prier en secret! Personne ne saura ce que vous faites. Vous-même ne saurez pas ce que vous faites pendant longtemps. C'est la vérité. Vous entendrez en votre for intérieur d'autres visiteurs qui vous diront: «Si tu n'exprimes pas ceci, tu vas exploser!» Mettez donc votre visiteur au défi de vous infliger les pires traitements qu'il voudra, y compris de prendre votre vie s'il le veut! Vous vous tenez sur le sol de la Vérité. Observez-vous. Ne repoussez rien et ne vous abandonnez pas à ce qui veut votre vie. Vous demeurez, pour modifier la métaphore, avec Dieu. Vous demeurez avec ce qui est éternel; vous demeurez au sein de ce qui n'est pas l'état. Oh quel travail! Quelle activité! Quelle façon divine de passer la journée!

Permettez-moi d'ajouter un dernier mot. J'aimerais que vous trouviez vos propres manières secrètes de présenter ces nouvelles requêtes, ces nouvelles prières. Je vous en prie, prenez le temps qu'il faut pour scruter votre vie. Voyez à quels moments vous êtes ce que vous êtes. Remarquez qu'il y a certaines vagues, certains états négatifs qui vous sont très très familiers. Que dire de cet état éternel et infernal de constante insatisfaction, mieux connu sous le nom de cupidité? Commencez dès maintenant à prendre conscience de ces états. En prendre conscience équivaut à demander une vie exempte de leur joug.

Leçons propices à l'auto-analyse

Notre expérience de vie est un reflet direct de notre niveau spirituel, qui, lui, est déterminé par ce dont nous sommes conscients *à
l'intérieur* de nous-mêmes. Comme il n'y a pas de limite à la conscience de soi, cela signifie que nous possédons secrètement
l'infinie capacité d'élever consciemment
notre expérience de vie.

☾

La personne qui ne se connaît pas et accepte sa vie telle qu'elle est
sans cette connaissance de soi reçoit de la vie tant ce que cette
non-connaissance de soi demande que ce qu'elle permet.

☾

À mesure qu'il devient clair pour vous que vos prières sont en fait
exaucées de microseconde en microseconde, vous voudrez plus que
tout *être* différent.

☾

Ne pas exprimer un état négatif équivaut à révéler le moi
qui n'est pas cet état.

☾

Mettre au défi n'importe quel état obscur de vous
infliger le pire traitement équivaut à demander à
Dieu de vous défendre.
C'est seulement lorsque la prière devient
«la seule chose essentielle»
que commence la vraie prière.

Thomas Merton

chapitre 8

Trouver un renouvellement durable
dans la libération de soi-même

Je commencerai ce chapitre par une petite citation d'Emerson:

«La prière n'est-elle pas une étude de la vérité, une sortie de l'âme dans l'infini inexploré?»

Emerson poursuit en disant:

«Nul homme, nulle femme n'a jamais prié du fond du cœur sans apprendre quelque chose.»

N'aimeriez-vous pas faire une sortie dans l'infini inexploré? N'est-ce pas que cela a l'air formidable? Parce que rien ne presse. Vous pourriez vous promener et apprécier toute l'infinité à laquelle vous pouvez accéder.

Un jour que je me trouvais à l'extérieur de la ville, ma femme plaça sur la véranda de mon bureau le gros pot de terre cuite dans laquelle elle avait semé un mélange d'oignons verts et de fraises. À mon avis, ce pot était une sorte de pot fourre-tout, et ma femme l'avait mis sur mon patio pour que je l'arrose. Voici où

L'humilité est la plus grande liberté. Tant que vous devez défendre le moi imaginaire que vous croyez important, la paix du cœur vous est refusée. Dès que vous comparez cette ombre à celles des autres, toute joie vous quitte parce que vous échangez des choses irréelles et qu'il n'y a pas de joie dans les choses inexistantes.

THOMAS MERTON

je veux en venir: si je ne l'arrose pas les jours de canicule, les plantes ont vite fait de ressembler à quelqu'un qui aurait travaillé dehors toute la journée en pleine chaleur: elles sont épuisées et flétries! Elles ne peuvent même plus redresser leur corolle et leurs feuilles ont perdu tout leur éclat. Elles sont affaissées sur le rebord du pot comme pour dire: «Si vous ne nous arrosez pas *immédiatement*, vous vous retrouverez avec un pot vide!»

Vous avez sûrement observé cela lorsque vous avez oublié d'arroser une plante. Puis il suffit que vous l'arrosiez pour qu'en moins de deux ou trois heures, elle revienne à la vie. Les feuilles se redressent et retrouvent toute leur vitalité. La plante passe donc d'un état «Je vais mourir, fais vite quelque chose» (si vous pouviez l'entendre se plaindre) à «Les beaux jours sont revenus!». Elle est tout à fait régénérée. Cette métaphore est très appropriée au miracle de ce qu'est censée être la vie spirituelle.

Pour la majorité d'entre nous, ce que nous prenons pour un renouvellement n'a rien à voir avec un vrai renouveau. En général, ce renouvellement est lié à la réalisation d'une idée ou d'un espoir qui nous comble d'excitation. Ce que nous appelons renouvellement est la joie que nous procure cette sensation de plénitude. Mais il y a un hic à cela. Comme nous le savons tous trop bien, vient un moment dans notre vie où nous cessons de rechercher cette sorte de joie parce que nous constatons qu'elle part aussi vite qu'elle arrive! Et qu'en fait... peu importe la quantité de joie que la vie déverse sur nous de cette manière – à travers notre bonne fortune financière ou quoi que ce soit d'autre –, nous conservons toujours une sensation de vacuité. Si vous comprenez cette vérité, en voici l'explication.

Ce n'est pas grâce aux circonstances que notre âme grandit. En fait, au contraire de grandir (nous commencerons avec un exemple concret avant de passer à un exemple spirituel) à travers ce que nous appelons un renouveau suscité par les circonstances de notre vie, nous sommes plus souvent qu'autrement limités par celles-ci. Parce que, plus vous vous accrochez aux aspects de cette vie qui sont manifestement conditionnels – pour éprouver ce sentiment de «renouveau» ou de «progression» –, plus vous aurez peur de les perdre! Or cette peur n'apporte pas de *véritable* renouveau. Le secret incompris de la vie est que tout ce que nous faisons pour nous grandir contribue précisément à nous diminuer.

J'aime dire que nous devrions apprendre à rechercher ce qui est céleste dans les choses banales de la vie. Et j'ai mentionné la petite plante comme un merveilleux exemple de la possibilité de voir l'aspect profondément spirituel des choses les plus simples. Un instant la plante asséchée peut à peine respirer et l'instant d'après vient l'eau. Les vérités spirituelles sont souvent comparées à de l'eau ou à du vin. Voilà que vient l'eau et la plante éprouve un regain de vie. Vous et moi sommes censés expérimenter et comprendre *cette sorte* de renaissance que seule la Vérité peut déverser en nous.

Voyez-vous, en vous observant vous-même, que, lorsque nous cherchons une nouvelle excitation, un nouveau projet, un nouvel amour – ou quoi que ce soit –, nous cherchons en fait une manière de nous renouveler à travers une image? Pouvez-vous voir cela en vous? Regardez à l'intérieur de vous-même. Comme j'aspire au renouvellement, je pars en voyage. J'acquiers un bien. Je cherche une nouvelle relation amoureuse. J'achète de nouveaux vêtements. Ce qui signifie que, dans mon esprit, il y a désormais cette image d'un plaisir ou d'un bonheur-à-venir. Et le plaisir imaginé passe. Mais *ce n'était qu'une image*. Allons un peu plus loin. Supposons que vous revêtez vos nouveaux vêtements, partez en voyage, faites un achat ou vous lancez dans une nouvelle entreprise et que cela ne vous satisfait pas vraiment. Ce qui signifie qu'avant même d'avoir terminé un projet, vous devez planifier un «meilleur» voyage, acheter d'autres vêtements, avoir plus de ceci, mieux de cela – à l'infini. Vous devenez prisonnier de ce qui était censé vous renouveler au lieu de posséder la liberté qui accompagne naturellement la véritable renaissance.

Ce renouveau dont nous parlons signifie que nous commençons à saisir qu'il existe en fait une renaissance physique – et en passant, il n'y a rien de mal à aspirer à un renouveau physique. Vous travaillez dur au travail. Vous devriez sortir, observer la nature, lire un livre ou écouter de la musique. Il est naturel de vouloir se détendre; de se régénérer physiquement; d'utiliser différentes parties de vous-même parce que certaines parties sont fatiguées. Cela est naturel et nécessaire et c'est une forme de régénération. Mais si nous voulons devenir les nouveaux individus que nous sommes censés être, cette régénération ne peut pas être uniquement physique.

Là se trouve la première attrape. Nous espérons que la détente physique, que les idées et images contenues dans nos connaissances actuelles et notre compréhension du moment nous conduiront vers quelque chose de nouveau. Mais écoutez-moi. Le mot «nouveau» signifie en soi «rien avant». Pensez-y.

Si quelque chose est nouveau, c'est qu'*il n'y avait rien avant*. Mais nous ne connaissons pas ce genre de «nouveau». Pour nous, «nouveau» signifie la nouvelle mode de chaussures, la prochaine série de voitures ou de voyages, et ainsi de suite. Pour nous, la nouveauté est la continuation d'une forme passée remaniée. Me suivez-vous? Il est très important que vous saisissiez ceci. Quand vous pensez à ce qui est nouveau, vous ne pensez pas à une chose qui n'a jamais existé auparavant. Ce que vous cherchez inconsciemment, c'est le renouveau créé par une activité ou une chose transformée qui ne vous a pas comblé la première fois que vous vous êtes tourné vers elle pour vous régénérer. À titre d'exemple, prenons le carrousel des relations personnelles: vous espérez que ce sera différent «cette fois-ci». Et même si c'est différent, en un rien de temps, cela ressemble à ce que vous avez toujours connu!

Ce qui nous amène à un point très important. Pour qu'un *vrai* renouveau soit possible, il doit y avoir *discontinuité* et non continuité! Comprenez-vous que vous et moi envisageons toujours les choses en fonction d'une continuité? Mais pour qu'une chose soit authentiquement nouvelle, il doit y avoir une discontinuité. Or la discontinuité est la dernière chose que nous désirons. Discontinuité de quoi? Discontinuité du «je». Discontinuité du sens du soi familier; mais plus particulièrement dans cette leçon-ci, discontinuité du sens du «je» qui vous pousse actuellement à rechercher ce qui, selon vous, vous renouvellera.

Il existe essentiellement deux sortes de prière. La première est celle qui vous est familière et qui consiste à demander ce que vous voulez; où vous êtes rempli – et régénéré – tant par le moi qui demande que par l'objet de votre requête. C'est là la seule forme de prière que la plupart des hommes et des femmes connaissent jamais. Où la personne demande avec son ego une chose pour elle-même. «S'il vous plaît, envoyez-moi de l'argent.» «Je vous en prie, solutionnez ce problème.» «Je vous en supplie, faites que tout cela finisse bien.» Dans cette forme de prière, la personne qui prie décide ce qu'elle veut et la façon dont elle espère l'obtenir. Tout cela... et plus.

Il existe aussi une autre sorte de prière que presque personne ne connaît. C'est celle où *Dieu devient responsable de vous*. Cette prière puissante prend naissance en vous en suivant des stades précis. Elle consiste d'abord à demander au

Tout-Puissant de vous aider à voir la vérité sur vous-même... tout en sachant qu'elle vous révélera quelque chose que vous ne voulez pas voir. Par exemple, vous pourriez demander silencieusement dans votre cœur: «Montrez-moi ce que j'ai besoin de voir sur moi-même. Je vous en prie, Dieu Tout-Puissant, faites que je voie ce que je ne comprends pas. Montrez-moi que je reçois toujours ce que je demande dans mes prières afin que je puisse apprendre à demander autre chose.»

Bref, dans la première forme de prière, vous êtes responsable de vous-même et dans la seconde, Dieu devient responsable de vous.

Dans la première forme, nous essayons d'être la lumière. Nous nous efforçons de redresser le chemin qui s'étend devant nous. Dans l'autre forme, celle qui est essentielle au renouveau que nous souhaitons, vous ne demandez rien pour vous-même tel que vous vous connaissez. Vous ne recherchez rien. Vous renoncez à vous-même en demandant sincèrement à Dieu de s'occuper de vous. Et ce changement dans votre façon d'aborder votre vie est l'eau qui vous inonde et vous redonne vie. Le «vous» qui est ramené à la vie quand Dieu vous prend en main intérieurement n'est pas vous – et pourtant il l'est. Comment provoquons-nous cet échange extraordinaire? Vous devez posséder un certain degré de compréhension de vous-même, une connaissance de votre moi actuel fondée sur une lucidité nouvelle que nous illustrerons maintenant sous la forme d'une devinette.

Quel est le mystérieux ingrédient (représenté par X ci-dessous) qui, lorsqu'il apparaît dans cinq situations de la vie courante, les *gâche* instantanément. Voyons si vous êtes perspicace.

Situation numéro un: Elle se tourne vers lui au restaurant en disant qu'elle a besoin d'espace. Aussitôt X apparaît et gâche le plaisir du moment.

Situation numéro deux: Il prend le journal et X surgit brusquement entre les lignes des titres. Vous l'avez reconnu?

Rappelez-vous, nous essayons de trouver l'identité du mystérieux élément qui, lorsqu'il apparaît dans les cinq situations, les gâte instantanément.

Situation numéro trois: Son associé lui dit que tous leurs efforts semblent devoir porter fruit et à cet instant précis, X déborde et sabote le plaisir du moment.

Situation numéro quatre: Elle dit: «J'ai besoin de toi» à l'homme de qui elle est peu à peu tombée amoureuse et soudain X se tourne contre elle.

Et la cinquième situation: Votre patron vous commande d'exécuter une tâche à sa manière à lui et X bondit aussitôt.

Quel est donc cet élément des plus mystérieux? Les situations ci-dessus sont assez différentes et pourtant, elles englobent le même élément. Certaines sont heureuses, d'autres non. Certaines sont contraignantes, d'autres non. Pouvez-vous nommer cet ingrédient énigmatique? Vous le pouvez si vous pouvez prononcer «je». Celui-ci est une partie de nous-mêmes que nous ne voulons pas du tout connaître. Vous ne voulez pas savoir que votre «je» habituel est en fait le coupable qui contamine votre vie; qui suscite des conflits inutiles dans les moments même les plus simples. Qui a, par exemple, le pouvoir de parler à votre place. Vous est-il déjà arrivé de devoir céder la parole à un «je» dominateur? Plus tard, vous vous demandez pourquoi vous avez tenu tels ou tels propos. En passant, voici une leçon d'humilité encore plus importante: vous croyez que le «je» qui apparaît pour défendre le «je» qui a parlé en votre nom est le vrai vous responsable de tous les autres «je», n'est-ce pas? Désolé!

J'ai vécu il y a quelque temps une expérience fascinante qui nous donnera un merveilleux aperçu de la façon dont nos prières peuvent nous régénérer, c'est-à-dire nous apporter une compréhension nouvelle qui nous aidera à établir un lien avec la seule chose qui a le pouvoir de nous renouveler de manière durable.

Rappelez-vous qu'en ce moment, nous examinons ce dont nous avons vraiment besoin pour trouver un nouveau «je». En passant, le vrai «je» dont je parle – si vous croyez au Christ – est le Christ: être dans le Corps du Christ. C'est le seul véritable «je» qui existe chez tous les hommes et les femmes. Un «je» qui se régénère constamment.

Nous possédons tous un sens du «je». Le problème, c'est que votre sens du «je» dominant à un moment donné est souvent très différent du mien... Quand nos «je» sont en accord, nous nous entendons très bien. Mais si votre «je» se dresse contre le mien, si votre «je» dit: «*Ceci* est Dieu» et que le mien dit: «Non, *ceci* est Dieu», nos deux «je» en découdront et se détesteront parce que chacun croit en savoir plus que l'autre sur la source de l'Amour... sans même remarquer la contradiction monstrueuse dans laquelle ils sont égarés. Comment est-ce possible? Voilà qui est intéressant. Voici une image qui vous aidera à mieux comprendre ce phénomène.

Toutes les fenêtres de ma maison sont de type coulissant. Elles glissent horizontalement et sont dotées d'un petit loquet mince qui monte et descend sur le côté perpendiculaire du cadre; de sorte que, pour ouvrir la fenêtre, il faut lever le loquet et glisser celle-ci.

Or comme il a fait très chaud et que je n'aime pas beaucoup l'air climatisé, je procède chaque soir avant de me coucher à un petit rituel qui consiste à ouvrir une à une toutes les fenêtres de la maison. Le lendemain, en général, je les referme pour conserver la fraîcheur nocturne de la maison. Or, pour me faciliter la tâche, j'ai fixé les petits loquets avec du ruban adhésif dans la position levée. Conservez cette image en tête et écoutez mon histoire.

Un matin vers cinq heures ou cinq heures et demie – le jour n'était pas encore levé –, j'étais assis en bas et je goûtais le calme qui m'environnait. Mon attention était tournée vers l'intérieur et j'avais les yeux fermés. Tout était paisible autour de moi.

Soudain, pour une raison quelconque, le ruban qui retenait un des loquets se brisa et le loquet retomba avec un «clic». Pendant une fraction de seconde, un incident fort inhabituel se produisit. Je vous l'expliquerai afin que vous saisissiez l'importance, dans vos prières, de renoncer au «je». Vous devez comprendre, cependant, que vous ne pourrez pas renoncer à votre sens habituel du «je» tant que vous n'aurez pas compris que celui-ci n'est pas du tout le *vrai* vous. Vous ne pouvez même pas songer à sacrifier votre image de vous-même tant que vous ne posséderez pas la connaissance et la vision intérieure nécessaires pour voir que le «vous» qui s'occupe de tout et parle à votre place à l'heure actuelle, n'est pas *vous*. Je reprends mon histoire. Vos efforts pour comprendre la séquence suivante d'événements intérieurs et extérieurs sera récompensée... c'est pourquoi je vous demande de persévérer.

Lorsque le loquet retomba avec un «clic», ce bruit était assez inattendu pour me faire sursauter. Donc, si je voulais décrire ce moment, je dirais que «je» sursautai légèrement. Mais en fait, c'était un autre «je» qui enregistra le bruit. Dans le silence qui m'entourait ce matin-là, je pouvais voir que le «je» qui avait sursauté était apparu le premier. C'était mon corps qui réagissait de manière purement physique à un bruit inattendu. Puis j'ai vu que j'avais entendu ce qui m'avait fait sursauter. Donc, j'ai sursauté, j'ai entendu, puis j'ai identifié le bruit. En une fraction de seconde, trois «je» au moins sont apparus. Un qui a bougé, un qui a entendu et un qui savait pourquoi il avait sursauté et ce qu'il avait entendu. Voilà où je veux en venir. *Le «je» qui savait tout cela, venait en dernier!*

Vous est-il déjà arrivé de sursauter de frayeur? Vous avez eu si peur que vous avez réagi avant même de savoir ce qui vous avait effrayé? Il s'agit là de l'instinct de survie commun à tous les êtres humains. Ce que je dis, c'est que votre sursaut n'a absolument rien à voir avec la «connaissance» de soi et que le «je» qui vous a signalé qu'il avait «entendu» le bruit n'est rien d'autre qu'un lien, une sorte de connexion psychique entre le monde physique et le monde intérieur de pensées et de sentiments fortuits qui sont créés par l'expérience et le conditionnement. Ce «je» n'est que cela. C'est un interprète qui agit en fonction de ses connaissances personnelles *antérieures*. Et nous pouvons prouver cette découverte.

Supposons que je n'aie pas été seul dans la pièce ce matin-là et que l'autre personne n'ait aucune idée de la nature de ce «clic» métallique mais croie que, quand les anges parlent, leurs paroles sont précédées d'une sorte de petit bruit métallique. À ce moment, elle se serait écriée: «J'ai entendu un ange!» parce que ce «je» expliquerait ainsi l'expérience au mieux de ses connaissances. Mais le «je» qui explique le contenu d'une expérience est-il réel? Non! Et comme l'idée suivante est cruciale, je vous prie de faire votre possible pour la comprendre. Dès le moment où l'événement change, le «je» change aussi. Le loquet de la fenêtre coulissante a créé un bruit qui a produit un «je», mais ce «je» n'était que la connaissance d'un phénomène. Il n'est pas la personne que vous êtes *vraiment* davantage qu'une encyclopédie est sage en elle-même.

Pour poursuivre notre étude en fonction de ces points importants, voyez que vos propres pensées émettent des «clic» à l'intérieur de vous. Il n'est pas nécessaire que des fenêtres se ferment, des objets chutent ou des portes claquent. L'événement peut être littéralement une pensée qui vous traverse l'esprit. Ce faisant, elle émet un «clic», c'est-à-dire qu'elle apporte ce qui vous apparaît comme un moi «qui sait» tout près de votre fenêtre de conscience. Puis de cette apparition surgit un autre «je» qui semble poursuivre l'expérience en vous expliquant ce qu'a vu le premier «je». Et ainsi de suite.

Je vous assure que ces «je» qui vous semblent familiers ne sont pas vous. Ils appartiennent à votre nom, à la personne que vous avez été, à l'emballage que vous appelez vous-même en ce moment, mais dans cet emballage et à l'intérieur de cette lignée de «je», aucune régénération n'est possible. Voilà le secret que recèle l'histoire d'Abraham et d'Isaac; et celle de David, de Bathsheba et de son enfant. C'est l'histoire intérieure contenue dans les paroles «les premiers seront les derniers et les derniers seront les premiers». *Il faut qu'une chose finisse pour qu'une autre puisse commencer.*

Ce que cela signifie pour nous, c'est que la véritable prière commence quand vous comprenez que pour être régénéré, vous devez renoncer consciemment à ce que vous êtes. D'abondantes preuves viennent étayer ce principe. Vous rappelez-vous le moment le plus célèbre de la vie du Christ qu'encadre ce reflet éternel du parfait abandon de soi: «Que Ta volonté soit faite et non la mienne.» N'est-ce pas là un renoncement au «je»? Permettez-moi d'ajouter ici que cette volonté de renoncer au moi ne peut être fondée sur le désir, parce que le désir en soi est la continuité du «je». C'est pourquoi cette action sage et nouvelle doit reposer sur l'*intuition*. La Vérité libère en vous permettant de voir que ce qui vous retient prisonnier n'a aucune réalité en dehors de votre désir de continuer à être ce que vous êtes.

Vous cessez d'être amoureux de vous-même quand vous constatez que le «vous» qui est épris de vous est tout aussi irréel que le «vous» qu'il aime! Que votre vie est ce qu'elle est parce que vous vous laissez mener par une série de petits «je» qui ne se soucient pas du tout de vous, car ces faux moi ne sont rien. Cette constatation vous aide à renoncer au «je», à laisser aller le «je»... à laisser aller le «je»... à laisser aller le «je». Il s'agit là d'une prière car cela exige le renoncement à l'ego; un acte conscient de suspension du moi qui émane du désir de Nouveauté; un acte de compréhension supérieure ancré dans la connaissance qu'être absorbé dans le vieux ne peut que produire encore plus de vieux.

Si vous tentez de nouer une relation avec Dieu en fonction de vos idées sur Dieu et sur vous-même, vous obtiendrez ce que vous demandez, mais vous ne serez pas renouvelé. Le renouveau que vous obtiendrez, vous devrez le renouveler encore et encore. Quand Dieu tient la barre de votre vie intérieure, la Nouveauté se déverse sur vous. Ne vous trompez pas: quand *ces* eaux se déverseront sur vous, vous saurez que vous absorbez quelque chose de supérieur. Et ce qui est encore mieux, vous saurez aussi qu'elles ne se déversent pas dans le «vous» que vous croyiez. Dieu peut seulement déverser ce qu'Il est en Lui-même. Et parce que vous vous êtes efforcé de renoncer à vous-même, *vous êtes* la personne chanceuse qui bénéficie de cette expérience. Cela n'entraîne que du Bon. Accomplissez votre travail intérieur.

Leçons propices à l'auto-analyse

Si vous tentez de nouer une relation avec Dieu qui soit uniquement fondée sur vos idées actuelles sur Lui, vous recevrez tout probablement ce que ce *niveau du moi* a demandé, mais vous ne serez pas régénéré.

❨

Tout ce que nous faisons pour nous magnifier devient cela même qui nous diminue.

❨

Vous priez vraiment quand vous commencez à comprendre que pour être régénéré, vous devez renoncer à vous-même.

❨

La Vérité libère en vous permettant de voir que ce qui vous retient prisonnier n'a aucune réalité en dehors de votre désir de continuer à être ce que vous êtes.

❨

VOUS CESSEZ D'ÊTRE AMOUREUX DE VOUS-MÊME QUAND VOUS CONSTATEZ QUE LE «VOUS» QUI EST ÉPRIS EST TOUT AUSSI IRRÉEL QUE LE VOUS QU'IL AIME! LAISSEZ UN HOMME CROIRE EN DIEU PLUTÔT QU'EN DES NOMS, DES LIEUX ET DES ÊTRES.

R.W. EMERSON

chapitre 9

Sept prières silencieuses
pour retourner sa vie

J e détiens un secret que le monde
entier voudrait bien connaître. Le
problème c'est que nous ne pouvons pas le divulguer. Et c'est extraordinaire de savoir que l'on ne peut pas
révéler aux autres ce que l'on sait même
s'ils ont grandement besoin de cette
connaissance précise. Il y a de très nombreuses raisons à cela, la principale
étant qu'on ne peut pas obtenir une
chose que l'on n'a pas méritée. Nous
avons parlé jusqu'ici de gagner le droit
de partager le Secret de l'univers. Je ne
plaisante pas.

Je vais vous lire quatre phrases de
telle façon qu'elles soient claires dans
votre esprit. Puis je reviendrai sur chacune d'elles et en expliquerai les nouvelles idées qu'elle renferme afin que
cette compréhension toute neuve nous
permette d'approfondir notre désir de
devenir d'authentiques hommes et femmes nouveaux. Les voici:

Aimons non avec des
mots ou notre langue,
mais avec nos actions
et dans la vérité.

Nouveau Testament

«Ce que vous recevez de la vie dépend de votre conception de la vie.»

«Votre conception de la vie dépend de votre vision de la vie.»

«Votre vision de la vie dépend de vos idées sur la vie. Aussi...»

«Pour modifier ce que la vie vous donne, vous devez modifier votre perception de la vie en épousant des idées nouvelles.»

Discernez-vous la logique de ces idées? Les explications qui suivent dissiperont toute confusion.

Commençons. *Ce que vous recevez de la vie dépend de votre conception de la vie*: à quel point cela vous paraît-il évident? Que recevez-vous de la vie? Que vous arrive-t-il quand vous entrez dans votre bureau ou répondez au téléphone? Que vous arrive-t-il quand vous allez au marché ou faites des opérations bancaires; quand vous devisez avec d'autres personnes? Vous êtes dans un état constant de réceptivité, n'est-ce pas? Et ce que vous recevez, à chaque fraction de seconde, est étroitement lié à *votre conception* des événements de votre vie. Deux personnes peuvent affronter le même événement; l'une le percevra comme étant non cruel, sans récrimination ni accablement, tandis que l'autre sera submergée par le doute de soi et les inquiétudes. Donc, la première s'élèvera au-dessus de l'événement tandis que la seconde sera emportée par lui. Les deux personnes ont une expérience tout à fait différente du même événement, ce qui prouve que chacune reçoit de la vie en fonction de sa conception de la vie. Est-ce clair? Poursuivons.

Votre conception de la vie dépend de votre vision de la vie. Ne voyez-vous pas que les choix que vous opérez chaque jour sont fondés sur votre vision de la vie? Pourquoi une personne suit-elle toute sa vie un chemin différent de celui d'une autre personne? Parce que, selon sa vision particulière de la vie, l'une pense: «Ceci est intéressant», tandis que l'autre se dit: «Non, *ceci* est intéressant.» Une personne recherche l'argent, une autre, les relations, une autre la Vérité peut-être. C'est notre vision de la vie qui détermine nos buts dans la vie.

Votre vision de la vie dépend de vos idées sur la vie: ce qu'une personne recherche dans la vie dépend de ses idées sur la vie. Tel homme se dit: «À moins de posséder beaucoup de biens de valeur, je ne suis rien.» Une femme pense: «Si personne ne m'aime, je ne signifie rien.» Chacun vit et réagit à la vie à partir d'un état psycho-spirituel qui détermine sa perception de la vie. Réfléchissez à cette idée afin que le dernier principe de cette brève étude puisse vous livrer sa leçon.

Par conséquent: *Pour modifier ce que vous recevez de la vie, vous devez modifier votre perception de la vie en épousant des idées nouvelles.* Vous ne pouvez pas recevoir autre chose tant que vous regardez la vie comme vous le faites actuellement, c'est-à-dire à travers les idées que vous avez épousées et mises en œuvre jusqu'ici. Ceci est très important. Notre perception actuelle, notre manière de voir les choses, est en grande partie déterminée par nos idées sur nous-mêmes et sur la vie; la plupart, du moins nous le croyons, nous viennent de l'extérieur. C'est-à-dire que nous *voyons* la vie comme si elle naissait «à l'extérieur de nous» puis venait à nous. En d'autres termes, les choses commencent à l'*extérieur* de nous puis semblent venir *en* nous... dans notre vie. Cette constatation révèle que notre conscience, dans son essence actuelle, est passive. Il est très important que vous reconnaissiez ce trait de notre perception de la vie et ses conséquences.

Ce qu'il faut comprendre, c'est que nous abritons une nature passive. Un certain niveau du moi où presque toutes nos connaissances sur nous-mêmes sont reliées à ce que nos sens et réactions perçoivent comme étant à l'*extérieur* de nous. Tout en gardant cette idée en tête, je vous invite à réfléchir à ces paroles du Nouveau Testament attribuées à Jean le Baptiste. Celui-ci criait à la ronde (du moins c'est ce qu'on écrit): «Repentez-vous. Repentez-vous. Le Royaume des Cieux est proche.» Connaissez-vous ce passage?

Tout d'abord, le mot «repentez-vous» ne signifie pas nécessairement que vous êtes une «mauvaise» personne. Pour la plupart d'entre nous aujourd'hui, le repentir évoque généralement la douloureuse idée de l'autopunition. Mais «repentir» n'a jamais signifié cela. En fait ce mot signifie, très simplement, *retourne-toi*. Donc, ce que Jean disait au fond, c'était: «Retournez-vous. Retournez-vous. Le Royaume est ici... *maintenant.*»

Au début de la présente étude, nous avons compris que le cours, la qualité et même le contenu de notre vie sont déterminés par notre *vision* de nous-mêmes; que notre perception actuelle de la vie et de nous-mêmes est emprisonnée dans des considérations en grande partie inconscientes telles que: la quantité des biens que nous croyons posséder; ce qui arrivera ou pourrait arriver; l'opinion que les autres ont de nous et son impact potentiel. Cette vision de la vie fait que presque tout ce qui touche notre vie semble se trouver à l'*extérieur* de nous.

Si nous sommes les prisonniers involontaires de ce cercle extérieur – dans lequel ce que nous recevons de la vie est déterminé par nos idées sur elle – et que ces mêmes idées font elles-mêmes partie du carrousel dont nous voulons descendre parce qu'il ne mène nulle part et ne peut satisfaire notre âme, notre seul espoir réside donc dans... des idées neuves!

À moins de voir notre monde à partir de nouvelles idées, nous continuerons de recevoir la vie que nous apportent les idées qui l'inspirent actuellement. En d'autres termes, nous continuerons de recevoir ce que le fait de vivre à ce niveau nous rapporte. C'est pourquoi il est crucial pour nous d'exposer au grand jour ce cercle intérieur invisible et fermé, et de rendre son existence aussi claire que possible. Voici pourquoi: si nous pouvons voir qu'au sein de ce cercle du moi, nous ne trouverons aucune issue en laissant nos idées actuelles nous dicter une direction familière... Si nous pouvons voir que nous sommes tous absorbés dans nos idées – et que ces idées résultent de nos expériences extérieures passées et nous ont été inculquées à travers notre éducation et notre conditionnement... –, alors la question de savoir comment *se retourner* dans la vie revêt soudain une nouvelle signification! Mais, se retourner vers quoi? La réponse à cette question nous en dira davantage sur la direction nouvelle vers laquelle nous devons apprendre à nous tourner.

Quand vous rencontrez quelqu'un, où vous trouvez-vous? Vous marchez dans la rue et quelqu'un vient vers vous. Évidemment, vous répondrez: «Je l'ai rencontré dans la Sixième Rue.» Je ne parle pas de cela. Quand vous entrez dans le bureau de quelqu'un, vous ne rencontrez pas cette personne dans son bureau, bien que ce soit là un lieu, une dimension de votre rencontre. Mais où rencontrez-vous vraiment cette personne? Vous rencontrez chaque personne *dans votre espace intérieur*. Veuillez réfléchir à cette idée jusqu'à ce qu'elle vous paraisse évidente. L'exemple suivant devrait vous aider.

Une personne entre dans votre bureau. Certes, vous vous trouvez dans un lieu, mais vous la rencontrez *dans* votre espace intérieur. Qu'est-ce qui le prouve? Vous arrive-t-il de vous montrer particulièrement gentil? Bien sûr. Et intérieurement, quand vous vous sentez gentil, vous rencontrez la personne dans un espace de gentillesse. Vous pouvez supporter presque n'importe qui si vous rencontrez l'autre dans un espace intérieur agréable, n'est-ce pas? Mais quand vous êtes de mauvaise humeur, je plains le pauvre bougre que vous rencontrerez parce que... vous le rencontrerez dans cet espace intérieur de mauvaise humeur. Vous comprenez, dans ce cas, que peu importe l'endroit où vous vous trouvez ou ce que vous faites, vous rencontrez les gens et les événements dans un certain espace intérieur.

Voici donc la question importante. Quand vous, par la grâce de Dieu, rencontrez Dieu, où rencontrez-vous Sa Vie? Vous rencontrez cet Être Suprême à l'intérieur de vous-même! Vous ne pouvez rencontrer quoi que ce soit dans la vie à l'extérieur de ce que vous appelez votre moi. Toutes les rencontres se produisent à l'intérieur de vous-même. Il n'y a pas d'autre endroit. Laissez cette idée vous pénétrer. «Je rencontre tous les gens à l'intérieur de ce que je suis. Je rencontre aussi Dieu à l'intérieur de moi-même. Quand je serai dans le Royaume des Cieux, je serai toujours à l'intérieur de moi-même parce qu'il n'y a pas d'autre lieu.»

Ce secret que je partage avec vous met également en évidence une autre réalité puissante: en vivant comme vous le faites actuellement, orienté vers l'extérieur, vous êtes condamné à reproduire votre vie telle qu'elle l'a été jusqu'ici. Cette répétition est une sorte de re-création du moi par le moi. Seulement chaque fois que le faux moi ou ego se recrée lui-même, il a tendance à empirer parce qu'il rapetisse toujours davantage. Vous pouvez quitter ce cercle en découvrant son existence et ses limites inhérentes; et en comprenant que tout ce que vous vivez est d'abord et avant tout votre expérience – *tout*. Heureusement, il existe un autre vous; un autre monde; une autre vie dans laquelle votre expérience de vous-même est tout à fait différente parce que vous regardez dans une nouvelle direction.

Pour le simple plaisir de la chose et parce que cela vous aidera à mieux comprendre ce dernier point, faites l'exercice suivant. Tournez-vous et regardez dans la direction opposée à celle où vous vous trouvez en ce moment. Votre relation avec la pièce et tout ce qu'elle contient ne change-t-elle pas du tout au tout dès l'instant où vous vous tournez? Bien. Revenez à votre position initiale. J'essaie de vous faire comprendre que toute relation dépend toujours de la direction dans laquelle on regarde. Tant que vous ne comprenez pas ce que se tourner dans l'autre sens signifie, vous ne pouvez nouer la relation qu'engendre cette volte-face.

La prière est censée être un travail intérieur conscient qui vous aide à effectuer un revirement dans votre vie. Dans quelle direction nouvelle? *Vers l'intérieur.* Nous nous connaissons tels que nous sommes en ce moment. Aucune idée nouvelle ne peut vous venir du moi qui regarde dans la direction actuelle, car le monde qu'il regarde n'a pas d'idées nouvelles. Le monde intérieur sans cesse en devenir est le seul monde dans lequel il peut vous arriver du nouveau, et la prière vise à vous aider tant à réaliser cette nouveauté éternelle à l'intérieur de vous qu'à vous montrer que cette nouveauté *est* votre Soi profond.

Il existe deux manières distinctes de prier. J'ai mentionné un peu plus tôt qu'il existait deux formes de prière: celle dans laquelle la personne est active – où elle tente de prendre en main sa vie de prière – et celle dans laquelle la personne s'en remet à Dieu. En ce moment, je parle d'une sorte de *travail intérieur* qui englobe deux manières de prier.

Il existe un épisode du Nouveau Testament dans lequel Jésus rend visite à Marie et à Marthe chez elles. Marthe ne peut s'empêcher de courir à gauche et à droite. Elle est partout à la fois, faisant la cuisine, balayant le sol, s'activant à mille tâches sans jamais s'arrêter. Marie, par contre, demeure assise aux pieds du Christ qu'elle lave et oint. Marthe se met en colère: «Tu ne m'aides jamais! Regarde tout ce que je fais pendant que tu restes assise!» Bien sûr, nous ne connaissons pas toute l'histoire, mais nous pouvons presque entendre les deux sœurs se chamailler! À ce moment, le Christ corrige Marthe en disant quelque chose comme: «Marie a la meilleure part.» Cette histoire et les paroles du Christ nous apprennent qu'il existe deux façons de prier, deux types très différents de relation avec la Vérité, avec Dieu.

Le premier type de prière vous amènera à devenir actif dans votre vie d'une manière tout à fait nouvelle. Les «sept prières silencieuses pour retourner votre vie» que je m'apprête à vous enseigner vous aideront à amorcer le travail spécialisé qui consiste à faire volte-face et à réorienter consciemment votre sens du soi vers l'intérieur.

Voici la première de ces prières: *Refusez de vous défendre quand on vous accuse à tort.*

En quoi cette action constitue-t-elle une prière? Tels que nous sommes maintenant, quand on rejette un tort sur nous, nous cherchons aussitôt à retrouver la paix de l'esprit. Aussi défendons-nous ce que nous voyons comme notre moi contre ce que nous percevons comme notre agresseur. Cette action focalise notre attention *sur l'extérieur* plutôt que sur la femme ou l'homme intérieur, où existe la *vraie* faiblesse ou le *vrai* malentendu. C'est ainsi qu'en recourant à cette nouvelle prière-en-action – qui consiste à refuser de me défendre lorsque l'on m'accuse injustement –, je me coupe consciemment du moi extérieur orienté vers une idée, prenant ainsi conscience de mon être intérieur. Peu importe ce que vous voyez ou entendez dans votre for intérieur; toutes les voix qui vous disent: «Si je ne me défends pas, il m'arrivera un malheur.» L'important, c'est de réorienter votre attention; de devenir *conscient* de votre monde intérieur au lieu d'être le serviteur inconscient de votre vie extérieure.

Numéro deux: *Ralentissez délibérément votre vie quand tout – en vous et autour de vous – crie «Dépêche-toi».*

En quoi cette action audacieuse constitue-t-elle une prière? Nous nous laissons tous emporter par l'inquiétude. Quand l'inquiétude surgit et domine votre vie, êtes-vous un être extérieur ou intérieur? Extérieur. Pourquoi? Parce que cet état d'inquiétude ne pourrait exister sans la fausse croyance que ce que vous êtes – votre bien-être – dépend d'un élément extérieur à vous-même. Cette *idée* erronée vous pousse à réparer ceci, à redresser cela, sous prétexte que cela vous aidera à retrouver votre quiétude. Et tant que vous serez convaincu que vous avez quelque chose à perdre parce que vous vous identifiez à *n'importe quelle* situation ou circonstance extérieure, vous demeurerez esclave de celle-ci.

En ralentissant délibérément quand toutes les parties de votre être semblent crier: «Dépêche-toi», vous vous éveillerez intérieurement. Vous serez conscient de vous-même d'une manière nouvelle. Pour la première fois, vous comprendrez que vos crises d'anxiété n'ont *rien* à voir avec vos tâches inachevées, mais sont plutôt reliées au moi bourré de croyances qui est convaincu que si vous ne réagissez pas à la crise d'anxiété, il perdra quelque chose. Voyez comment cette nouvelle forme de prière modifie peu à peu votre perception pour vous. Chacune de ces simples prières-en-action vous aide à effectuer la transition nécessaire *pour* trouver votre vie intérieure – *au lieu* de chercher éternellement une manière de redresser votre vie en menant un combat extérieur.

Numéro trois: *Accomplissez les tâches qui vous rebutent au moment même où elles vous rebutent.*

En général, le seul moment où vous et moi *avons envie* de nous acquitter de nos tâches est celui que toutes les parties de nous-mêmes s'entendent pour déclarer opportun. Autrement dit, nous sommes heureux d'exécuter les tâches qui nous incombent seulement quand nous sommes certains d'y prendre plaisir. Une fois encore, cette résistance intérieure à laquelle nous nous heurtons repose entièrement sur notre idée du véritable bien-être, que notre moi actuel voit comme une situation *extérieure* à manipuler. Donc, comment le fait d'accomplir les tâches qui vous rebutent au moment précis où elles vous rebutent peut-il vous transformer? En allant délibérément au-delà de votre résistance *intérieure,* vous apprendrez que le *véritable* bien-être, le vrai plaisir découle de l'abandon de toutes vos idées sur ce qui peut vous contenter. Et cette liberté nouvelle est un travail *intérieur.*

Numéro quatre: *Éloignez-vous des cercles sociaux superficiels où les commérages, les sarcasmes et l'arrogance sont monnaie courante.*

Éloignez-vous-en tout bonnement. Cette prière-en-action vous montrera – *après* que vous aurez osé essuyer les jugements d'autrui ou affronter la solitude qu'engendre le refus d'adhérer aux cercles malades de la société – qu'au fond, c'est de votre propre cercle intérieur de fausses convictions et de pensées avides de sensations fortes que vous vous éloignez.

Numéro cinq: *Évitez de meubler les moments de silence gênants.*

Vous vous trouvez avec des gens et soudain le silence s'installe, un silence que vous mourez d'envie de meubler. Qu'est-ce qui veut se précipiter pour meubler ce silence? Votre idée selon laquelle si vous ne le faites pas – vous ou quelqu'un d'autre –, il y aura un terrible et douloureux moment de vacuité. En d'autres termes, la pression vous fait sauter au milieu du cercle. Ne sautez pas. Faites plutôt volte-face. Apprenez à observer votre être intérieur et à vous relier à lui, car sa Vraie nature ne craint rien... encore moins les silences! En vous efforçant d'entrer en contact avec votre Soi silencieux et intrépide, vous transformerez votre relation avec vous-même et avec la vie. Soit dit en passant, comme nous le verrons plus tard, en vous tournant vers le silence au lieu de vous en détourner, vous passerez à une forme différente de prière.

Numéro six: *Donnez le dernier mot à la personne qui, manifestement, est heureuse de l'avoir.*

Cette prière-en-action est reliée à celle qui consiste à ne pas se défendre d'accusations injustes. Seule l'idée doulou-reuse et inconsciente que ne *pas* avoir le dernier mot équi-vaut à perdre son moi peut vous forcer à engager cette lutte verbale. Renoncez consciemment à cette guerre de mots vouée à l'échec et observez comment les mondes intérieur et extérieur se séparent d'eux-mêmes... vous laissant, enfin, libre de faire le choix avec lequel vous vivrez. Donnez le der-nier mot à la personne qui est manifestement heureuse de l'avoir. Vous verrez qu'en renonçant à cette victoire tempo-raire, vous gagnerez intérieurement quelque chose d'éternel.

Et voici la dernière des sept prières silencieuses: *Donnez-vous à dessein des tâches ardues susceptibles d'accroître votre lucidité intérieure.*

Il est possible de se créer des moments au cours desquels on est davantage tourné vers l'intérieur que vers l'extérieur. *Voilà* l'important. Vous devrez trouver vos propres façons de faire parmi les diverses occasions que la vie vous offre. À titre d'exemple, essayez d'accomplir une tâche dont vous êtes certain qu'elle dépasse vos aptitudes ou vous rendra «dingue». Encore une fois, la clé de ces sept prières-en-action consiste à utiliser les événements de votre vie pour faire volte-face et vous orienter vers l'intérieur. Voici pour-quoi vous devriez faire le sacrifice apparent de ce que vous identifiez comme votre moi. *C'est à l'intérieur de soi que l'on peut commencer à s'élever.*

Nous avons parlé de faire volte-face. Savez-vous que vous aspirez à quelque chose qui dépasse manifestement votre entendement actuel? Cela saute aux yeux, n'est-ce pas? Ce que je veux est supérieur à ce que je suis. Que signifie supérieur? Que signifie au-dessus? Cela signifie *plus complet.* Plus pleinement intégré; plus achevé. Donc, quand vous réfléchissez à ce que vous voulez et pensez «ce que je veux est au-dessus de moi», vous entrevoyez que cette direction vers le haut peut se trouver à un seul endroit: à l'intérieur. Et que s'élever à l'intérieur de soi-même signifie se compléter. Il s'agit de trouver à l'intérieur de nous-mêmes la nature transcendantale qui non seulement est capable d'effectuer cette ascension, mais qui s'élève vers elle-même.

J'ai mentionné qu'il existait deux «façons» de prier. Et nous avons parlé de la manière active représentée par le comportement de Marthe en présence du Christ. Parlons maintenant de la manière de Marie. C'est la façon de prier quand vous êtes seul en présence de la Vérité et que vous tendez les bras dans le noir.

Permettez-moi d'apporter une précision importante ici: il n'y a rien de tel qu'une prière ratée. Qu'est-ce que cela signifie? Quand vous mangez, pouvez-vous échouer? Non, c'est impossible. Parce que votre action a un *but.* Vous mangez pour vous nourrir. Vous ne pouvez échouer. Si vous mangez, c'est pour vous nourrir sauf si vous mangez uniquement des «saloperies». Mais ce n'est pas le cas. Vous mangez pour vous nourrir. Peut-être n'avez-vous jamais réfléchi à cela avant, mais vous priez dans le but de vous *connaître.*

Revenons un instant au début de la section où je vous demandais où, par la grâce de Dieu, vous rencontrez Dieu. Vous rencontrerez cette Vie merveilleuse dans votre espace intérieur! Oui! Vous priez pour connaître ce qui se trouve à l'intérieur de votre moi. Vous méditez pour actualiser votre Soi. Ces exercices n'ont pas pour but de vous *dévoiler* ce que vous êtes. C'est pour cette raison que les gens sont frustrés lorsqu'ils prient ou méditent; parce qu'ils essaient d'établir ou de confirmer quelque chose à propos d'eux-mêmes. Ils sont occupés à essayer de *trouver* quelque chose au lieu de laisser ce qui est déjà là – et déjà parfait – les renseigner *sur* eux-mêmes.

Donc, en général, la personne qui cherche secrètement à se connaître se met à prier ou à méditer, et son mental n'arrête jamais. Elle s'écrie: «C'est insupportable. Je n'arrive à rien.» *Non!* Vous rencontrez ce que vous êtes en ce moment, et cela est tout à fait nécessaire. Sinon comment apprendrez-vous à ne pas aimer ce moi qui pense que l'argent, le sexe, la nourriture, la renommée ou quoi que ce soit... est *la* solution par excellence? Sinon comment apprendrez-vous à ne pas vous associer à la personne que vous êtes actuellement sinon en établissant une relation consciente avec elle? Je sais que vous avez l'impression d'«échouer» dans votre quête silencieuse de la Vérité quand vous entendez tous ces bruits à l'intérieur de vous-même. Mais c'est faux. Aussi incompréhensible que cela puisse vous paraître de prime abord, vous avez saisi. Vous allez dire: *«Mais ce n'est pas ce que je voulais»*, c'est-à-dire «Ce que je veux, c'est confirmer mes propres *idées* au sujet de cette relation supérieure». Mais la Vérité nous enseigne par l'expérience que l'on ne peut pas mener une vie supérieure tant que l'on n'a pas abandonné la vie inférieure qui est orientée vers les pensées.

Afin de vous aider à grandir intérieurement en apprenant à faire le calme en vous, voici un exercice simple mais merveilleux que j'ai baptisé la prière «Tu es».

Commencez par trouver un endroit calme, fermez les yeux et dites «Tu es». Puis prenez les lettres de l'alphabet une à une en commençant par la lettre «A». Silencieusement, vous dites ou chantez en vous: «Tu es... Absolu, Tu es Amour... et dites tous les mots commençant par la lettre «A» qui vous viennent à l'esprit et vous paraissent justes pour parler de Dieu.

Chaque fois que vous prononcez le mot, essayez de vous pénétrer de sa signification: celle de l'Absolu, celle de l'Amour. Puis passez à la lettre «B». «Tu es... la Bonté, Tu es... le Baume qui apaise mes souffrances.» Faites appel à toute votre compréhension de cette Vérité que vous ressentez en vous. Puis, passez à la lettre C. «Tu es... le Christ, Tu es... Compassion.» Essayez de saisir toutes les facettes de chaque idée et méditez sur elles. Continuez votre prière en vous servant de l'alphabet pour trouver d'autres attributs. «Tu es... Divin. Tu es... l'Éternel. Tu es... ma Foi. Tu es... la Grâce. Tu es... Harmonie suprême. Tu es... Invincible.» Récitez silencieusement toutes les lettres de l'alphabet en choisissant autant de mots que vous le désirez pour chaque lettre. Votre mental s'apaisera progressivement parce que vous le reliez à votre cœur. Vous vous tournez vers vous-même en mettant consciemment votre attention dans la *prière*.

Je ne peux pas vous dire à quel point cette prière – ou toute Vraie prière – est pratique. Cela dépasse l'entendement de bien des gens. Qu'est-ce qui pourrait être plus pratique que de se débarrasser de toutes ses peurs? De comprendre que l'on possède tout le temps de l'univers, littéralement. Le Christ a dit: «N'ai-je pas dit que vous étiez des dieux?» Vous ignorez ce que cela veut dire. Vous vous contentez de caresser des espoirs et des ambitions qui vous empêchent de voir que la personne que vous êtes vraiment se trouve à l'*intérieur* de vous et que vous devez vous rendre à cet endroit pour la trouver.

C'est à cela que sert la prière. Tout dépend de votre métamorphose en un être intérieur. Et la prière non seulement vous aidera à opérer cette métamorphose, mais elle illuminera toutes les régions de vous-même afin que Dieu Lui-même puisse entrer en vous et prendre Sa juste place dans votre vie... pour *être* votre Vie.

Leçons propices à l'auto-analyse

Ce que vous recevez de cette vie à chaque instant est étroitement relié à votre conception de la vie à cet instant précis.

❨

Comment apprendrez-vous à vous dissocier de la personne que vous êtes actuellement sinon en établissant une relation *consciente* avec elle?

❨

La prière est une façon d'accéder à votre Soi et d'apprendre à le connaître.

❨

Les gens sont frustrés lorsqu'ils prient ou méditent parce que la vision de leur véritable état intérieur ébranle leur image spirituelle *imaginaire* d'eux-mêmes et, qu'à cet instant précis, ils refusent cette Réalité secourable.

❨

La raison pour laquelle il est si important d'être orienté vers l'intérieur tient au fait que c'est à l'intérieur de soi que l'on peut s'élever.

RENOUVELLE-TOI COMPLÈTEMENT CHAQUE JOUR; FAIS-LE ENCORE ET ENCORE ET TOUJOURS.

ANCIEN PROVERBE CHINOIS

chapitre 10

Le pouvoir sacré de la prière constante

Il était une fois un père et une mère qui avaient un fils et une fille. Ensemble ils formaient une famille heureuse, car ils s'entendaient à merveille. Le père était bien intentionné, un autodidacte en quelque sorte comme sa femme. Tous deux s'intéressaient à la Vérité et ne jugeaient pas les gens et les choses sur les apparences. Leurs enfants grandissaient en reflétant ces valeurs puisque leurs parents avaient semé en eux la Semence des semences grâce à laquelle ils deviendraient des êtres humains différents, comme nous le verrons.

Un jour, la famille décida de partir en camping pendant trois jours. On accédait au site en parcourant deux ou trois kilomètres en terrain relativement plat sur un sentier aménagé. Le camping était situé au bord d'une très jolie rivière qui coulait au fond d'une petite vallée. La famille s'installa en plein dans l'un des coudes formés par la rivière. Elle

Dans la vie de l'Indien, une seule tâche était inévitable – celle de la prière –, la reconnaissance quotidienne de l'Invisible et de l'Éternel. Les dévotions quotidiennes étaient plus importantes que la nourriture... Chaque âme doit rencontrer seule le soleil du matin, la douce terre nouvelle et le silence magnifique.

OHIYESA,
TRIBU SANTEE

était environnée par le bruit de l'eau qui coulait, par un tas de rochers merveilleux, par la forêt et par toutes sortes de choses naturelles et magnifiques.

Mais les enfants, vous savez comment ils sont, surtout les plus jeunes, ils disparaissent... Ils ne mettent pas la main à la pâte, n'aident pas à monter la tente, rien de tout cela. C'est ainsi que tout en s'installant, les parents entendaient les enfants courir et s'amuser un peu plus loin. Une demi-heure plus tard environ, ils constatèrent que les rires s'étaient tus. Un peu inquiet, papa interrompit ce qu'il était en train de faire et courut vers l'endroit où les enfants étaient assis au bord de la rivière peu profonde. Avisant leur mine triste et abattue, le père demande à son fils: «Qu'est-ce qui ne va pas, mon gars?»

«J'sais pas.»

Se tournant vers sa fille: «Et toi, ma chérie, qu'est-ce que tu as?»

«J'sais pas.»

«Allons donc! Vous vous amusiez comme des fous tout à l'heure.»

«Ouais.»

«Très bien. Retournons à la tente pour manger.»

Bien sûr, en quelques minutes, leurs assiettes remplies de leurs mets préférés, les enfants oublièrent leur tristesse. Ils avaient de nouveau l'air parfaitement heureux. Mais le père s'interrogeait secrètement sur cet étrange événement.

Le lendemain, le soleil se leva sur une chaude journée d'été. De nouveau, les enfants allèrent jouer au bord de la rivière. Les parents les entendaient rire. Soudain, le silence se fit de nouveau et le père se précipita vers l'endroit où les enfants jouaient.

«Qu'est-ce qui ne va pas?» s'enquit-il. Encore une fois, les enfants répondirent: «J'sais pas.»

Cette fois, papa eut une idée. «À quoi jouiez-vous?» La réponse des enfant fut assez innocente.

«Nous fabriquions des bateaux.»

Cherchant des preuves de leur travail et n'en voyant aucune, le père demanda: «Quel genre de bateaux fabriquiez-vous?» Il sentait que la dernière pièce du casse-tête allait tomber en place. Soudain la lumière se fit dans son esprit. Espérant confirmer son intuition, il reprit: «Très bien, les enfants. Montrez-moi comment vous construisez vos bateaux.»

Les enfants ramassèrent aussitôt des bouts de bois et les assemblèrent. Chaque embarcation était coiffée d'un petit mât. «Mettez vos bateaux à l'eau», dit le père. Les enfants lancèrent leurs bateaux qui furent aussitôt emportés par le courant. Peu après, le père prit leurs petites mains et leur dit: «Venez avec moi.»

Ils protestèrent: «Mais nos bateaux?»

«Peu importe, suivez-moi.» Main dans la main, ils coururent ensemble jusqu'au haut de la colline qui surplombait le coude de la rivière où ils se trouvaient quelques instants plus tôt. Depuis le sommet, ils pouvaient embrasser du regard toute la rivière. C'est ainsi qu'ils virent leurs bateaux descendre la rivière lentement, dépasser le coude et poursuivre leur route. Ils se tournèrent vers leur papa et lui sourirent, pleins de reconnaissance pour la puissante leçon de vie qu'il venait de leur inculquer.

Quelle est la morale de cette histoire? La première fois que les enfants avaient mis leurs bateaux à l'eau, ceux-ci avaient disparu comme par magie. Comme les enfants ne pouvaient voir au-delà du coude de la rivière, ils ignoraient où étaient passés leurs bateaux. Et vous? Avez-vous fait le lien entre cette situation et certaines circonstances de votre vie? N'êtes-vous pas triste parfois parce que vous ignorez où sont partis vos bateaux? Bien sûr. Chaque jour vous éprouvez quelque tristesse parce que vous ignorez où sont passés un ou plusieurs de vos bateaux. Essayez de voir le lien entre cette métaphore et votre vie. Par exemple, où est passé le bateau de vos rêves? Celui de votre relation amoureuse? Comprenez-vous? Et qu'en est-il du bateau de ce que vous aviez prévu de bâtir avant un certain âge? Fichtre! Avant d'avoir trente, quarante ou cinquante ans, puis plus tard, soixante, soixante-dix ans. Nous repoussons sans cesse la construction de notre bateau. Pourquoi? Parce que tous nos bateaux disparaissent toujours dans le méandre de la rivière.

Nous vivons, vous et moi, dans un état qui nous paraît tout naturel où à peu près tout ce qui concerne notre vie est contenu dans la phrase suivante: «Je ne suis pas encore, mais je serai.» Examinez-la attentivement. Que signifie-t-elle? «Je ne suis pas encore, mais je serai.» Je fais construire un bateau ou je le construis moi-même et j'ai bonne opinion de moi-même aujourd'hui. Cette sensation de bien-être est peut-être reliée au fait que je suis riche; ou que mon ami a reconnu que j'avais raison et qu'il avait tort; ou qu'enfin, elle a accepté de m'épouser; ou *n'importe quoi d'autre*. Quoi qu'il en soit... «je me sens bien aujourd'hui».

Mais je n'ai pas aussitôt terminé la construction de mon bateau qu'il disparaît dans le coude de la rivière! Traduction: les choses <u>changent</u>! Il semble que je ne puisse jamais me tenir à la proue de mon bateau et sentir le vent dans mon dos sept jours d'affilée, en appréciant la solidité de ses bordages et en me détendant parce que mes voiles sont gonflées et que je sais qu'elles le *resteront*. Au lieu de cela, mon navire disparaît toujours, avalé par le passé. Et, à part le bateau de mes rêves, aucun navire ne m'attend dans l'avenir. Or on ne peut pas se tenir debout sur des bordages de rêve. Les tempêtes de la vie y voient!

Il semble donc qu'une grande partie de notre vie ressemble à celle des enfants de notre histoire. Sauf que dans notre cas, c'est une *pensée* après l'autre – parce que voilà ce qu'est notre bateau, n'est-ce pas? Pensée par pensée, nous construisons nos bateaux et les mettons à l'eau avec un sentiment d'aise. Puis notre bateau s'éloigne comme il est censé le faire et nous l'observons avec fierté pendant ce qui nous semble quelques minutes. Tant que nous le voyons flotter, nous disons: «Regardez-moi. Je suis un excellent constructeur de navire!» Puis notre bateau disparaît dans le méandre de la rivière et nous nous sentons de nouveau perdus, sans d'autre navire que le souvenir du nôtre.

Connaissez-vous des gens qui vivent avec le souvenir de leurs bateaux? Et *vous*? C'est ce que nous faisons, n'est-ce pas?

«Je me souviens quand ils ont dit que je pourrais devenir champion! Je me rappelle quand j'étais promis à un avenir brillant, le jour où j'ai acheté ma nouvelle voiture, mon nouveau manteau, et ainsi de suite. Vous ne pensez pas que les gens vivent ainsi? En arpentant le pont de leurs navires fantômes? Que pensez-vous de ceci: «Je me souviens de l'époque où il m'aimait.» Tous ces sentiments et pensées révolus nous fournissent un bordage temporaire sur lequel nous nous tenons dans le moment présent.

Voilà où le bât blesse: je me cherche sans cesse dans ces petits bateaux. Pourquoi? Parce que chaque bateau que je construis me paraît tout à fait réel pendant quelque temps. Chaque nouvelle identité que j'endosse – en passant, d'où viennent les identités? – descend le courant. Vous êtes assis là et soudain quelqu'un vous appelle: «Voici une occasion inouïe!» Vous vous retrouvez brusquement à la barre d'un magnifique bateau tout neuf qui file à fière allure. Eh bien! il vous est vraiment tombé du ciel celui-là, n'est-ce pas?

En fait, si vous réfléchissez un instant, vous verrez qu'à peu près tout ce qui surgit dans votre vie semble venir de l'amont et descendre la rivière du temps. Et au moment où une vague possibilité se dirige vers vous, vous vous mettez à réfléchir. Puis vous en faites *votre* bateau et l'instant d'après, vous vous sentez réel parce que vous avez désormais un bateau. Puis ce bateau, comme tous les autres avant lui, passe le tournant de la rivière vous laissant de nouveau privé de «vous». Et tout recommence... vous cherchez quelque chose quitte parfois à vous investir dans *n'importe* quoi.

Nous devons nous rendre compte que, quel que soit le nouveau projet auquel nous nous apprêtons à consacrer toute notre énergie – afin d'en tirer ce sens du soi auquel nous aspirons si fort –, celui-ci sera forcément aussi vide que tous les précédents. Sinon nous passerons le reste de notre existence physique à faire comme ces enfants: à lancer un navire après l'autre sur la rivière pour nous sentir désorientés chaque fois qu'il disparaît.

Cette histoire n'est pas négative. Elle le serait si elle se terminait là. Mais ce n'est pas le cas. Elle est le début d'une autre histoire et d'un autre monde.

À un moment donné, ayant vu tant de bateaux disparaître, une personne songera peut-être: «Je voudrais une relation avec quelque chose qui ne disparaîtra pas. Je veux trouver quelque chose d'éternel. Je veux trouver Dieu.» Pourquoi voudrait-on une relation avec quelque chose qui ne disparaît pas? Afin de ne pas disparaître *soi-même*. Avez-vous déjà réfléchi à cela? Hommes et femmes veulent une relation avec Dieu, avec le Divin parce qu'en établissant un lien avec ce qui est *éternel*, ils éprouveront un sentiment intérieur d'éternité. C'est justement de cela qu'il s'agit.

Nous tentons continuellement de bâtir avec les matériaux qui descendent le cours du temps un moi qui ne disparaîtra pas, sans jamais comprendre que rien de ce que l'on construit dans le temps n'est éternel. Nous cherchons sans cesse quelque ancrage en regardant ce qui vient vers nous. Mais aussitôt que nous montons à bord de ce nouveau sens du soi, le voilà qui prend le tournant! «Bon d'accord, ce n'était pas ça!» Mais attendez! «Ce doit être ceci!» Et nous repartons à zéro.

Que signifie *être* pour vous? Parce que c'est de cela qu'il s'agit au fond. Comment trouver une vie qui ne provoque pas ce sentiment perpétuel de perte? Une vie dans laquelle nous tenons une journée la barre d'un magnifique navire pour nous retrouver sans bateau le lendemain! Et sans même une chaloupe! Nous ignorons ce qui nous est arrivé au juste sauf que nous semblons nous être perdus nous-mêmes encore une fois.

La question qu'il faut se poser dans le cadre de cette étude est la suivante: est-il possible d'éviter de vivre cette perte sans cesse renouvelée... et si oui, comment? Parce que votre seule souffrance psychologique, dans cette existence physique, est causée par l'horrible sentiment que vous éprouvez quotidiennement – et dix mille fois au cours de votre vie – de vous perdre vous-même quand le petit bateau auquel vous vous identifiiez disparaît dans le tournant. Fort heureusement, au moment où vous commencez à saisir la vraie nature du problème, vous entrevoyez aussi la solution. Donc vous devez d'abord comprendre que vous vous perdez vous-même parce que vous cherchez un sens du soi permanent dans une nature qui passe son temps à disparaître parce qu'elle naît dans le temps et est emportée par le cours du temps.

Nous avons déjà abordé certains aspects de cette question que nous approfondirons maintenant. Nos sens perçoivent le monde physique comme une rivière. La vie ne fait que passer, un événement succédant à l'autre. Chaque événement qui passe est rempli d'éléments dans lesquels vous vous cherchez et vous reconnaissez. Chaque commentaire formulé par quelqu'un, chaque voiture qui passe, même la couleur de la chemise de quelqu'un peut vous fournir un bateau temporaire qui vous éclaire sur vous-même. Car c'est ainsi que nous apprenons à nous connaître... parce que nous nous identifions en pensée à ces événements et en tirons un sens du soi familier. Notre vie actuelle est une série interminable de débuts prometteurs et de dénouements non désirés. Pourquoi? Parce que la partie de nous qui est responsable de notre expérience de la vie connaît seulement une manière de se «connaître», qui est de s'identifier aux événements qui passent.

C'est ainsi que nous passons notre temps à chercher un moi qui soit permanent à l'aide d'un moi qui est lui-même éphémère. Et grâce à la faible lueur de compréhension qui éclaire notre condition spirituelle, nous demandons avec ferveur: «Où trouverai-je un moi permanent?» Ce qui nous amène à ce qui est tout probablement le vrai but de la prière: nous relier à ce qui est éternel et permanent, et nous aider à en demeurer conscients. Non pas de ce qui est éternel à l'extérieur de nous, mais de ce qui l'est à l'intérieur de nous. Parce que cette permanence *existe* en vous en ce moment. Vous lui êtes destiné comme elle vous est promise. Mais malgré cela, il faut payer un tribut pour atteindre ce niveau de conscience supérieure. Vous devez chercher à comprendre, à *voir* que votre intellect crée à chaque fraction de seconde un faux sens du soi et que c'est précisément *ce soi* qui disparaît toujours dans le cours du temps. Dès que vous entreverrez cette Vérité, vous saurez aussitôt quelle conduite tenir. Vous saurez que vous avez besoin d'une nouvelle étoile polaire, d'une étoile qui ne se couche jamais; d'être relié à une chose qui ne disparaît pas en même temps que tout ce que vous appelez «vous». Et ces premières miettes de connaissance vous entraînent sur une voie toute nouvelle qui consiste à travailler consciemment pour vous rappeler ce que vous êtes à travers la pratique de la prière constante: une courte invocation personnelle à Dieu pour inviter Sa vie à devenir vôtre.

La meilleure prière est toujours celle que *vous* élaborez en fonction de ce que vous comprenez de votre état intérieur – il n'en existe pas de meilleure. En voici quelques exemples.

Vous pourriez fort bien constater un jour que vous voulez plus de Dieu et moins de vous-même, de sorte qu'une nouvelle prière montera à vos lèvres: «Plus de Toi, moins de moi... Plus de Toi, moins de moi.»

Peut-être que vous n'aimez pas employer trop de mots dans vos prières. Un exercice que je trouve utile consiste à prendre la première lettre de chaque mot qui forme notre prière. Parfois en combinant ces lettres, on obtient un son qui ressemble à un mot connu. Vous trouverez ainsi une courte prière qui non seulement vous aidera à vous rappeler une chose éternelle, mais encore vous permettra de trouver dans chaque mot et chaque souffle, une signification nouvelle et plus profonde au fond de vous.

Les Pères du désert récitaient souvent la prière de Jésus qui était simplement: «Seigneur Jésus, Fils de Dieu, aie pitié de moi.» En Orient, on dit: «La ilaha ill'Allah» qui signifie «Il n'y a qu'un seul Dieu». Toutes ces courtes prières peuvent vous donner – si vous vous exercez à vous souvenir de vous-même dans chacune d'elle – une manière de vous relier à une chose qui existe en dehors du temps et ne disparaîtra pas.

Voici une autre prière courte et puissante que je trouve utile: «Tu es mon Dieu, mon seul Dieu.» En passant, si je recommande de réciter des prières formées de deux phrases, c'est pour relier votre prière constante à votre respiration. De la sorte, en inspirant, vous répétez mentalement «Tu es mon Dieu» et en expirant: «Mon seul Dieu.» Ou comme je l'ai mentionné précédemment, en inspirant «Plus de Toi» et en expirant «Moins de moi». Relier sa respiration à sa prière constitue une forme excellente de travail intérieur.

Je vous invite fortement à pratiquer la prière constante. Faites-le dans chacun de vos moments de loisir, en mangeant, en marchant. Au travail, vous devez vous consacrer à vos tâches, mais lorsque vous faites une pause, revenez à ce qui ne disparaît pas dans la rivière. Parce qu'en revenant à la prière constante, quelle que soit la manière dont vous la formulez, vous vous identifiez momentanément à une partie intérieure de vous-même qui devine que ce qui est éternel existe *vraiment*. Désormais, la rivière du temps coule à *travers* vous au lieu de vous emporter. Et vous pouvez voir vos propres pensées flotter sur elle sans éprouver un sentiment de perte. En passant, voici l'essence du détachement spirituel. Vous choisissez de rester avec ce qui est éternel en refusant de vous perdre dans le monde des pensées et du temps. Pour renforcer notre besoin d'accomplir ce type de travail intérieur, j'ai établi une courte liste que j'aimerais réviser avec vous. Elle s'intitule «Pourquoi pratiquer la prière constante».

Un esprit laissé sans surveillance est un sol fertile pour l'autodestruction. Qu'est-ce que cela signifie? Si vous ne vous efforcez pas, à chaque instant de votre vie, de vous rappeler ce qui est éternel, vous serez emporté par le moindre événement, la moindre pensée ou activité éphémère. Voilà ce qu'est l'autodestruction: l'acte inconscient de s'investir dans une chose vouée à l'échec. Je répète: un esprit laissé sans surveillance est un sol fertile pour l'autodestruction.

Numéro deux: *Les efforts conscients sont toujours récompensés par une lucidité accrue*. Je dis bien *toujours*. En parlant de récompenses, où pensez-vous trouver le Royaume des Cieux? Il se trouve à l'intérieur d'une lucidité accrue, un fait qui exige quelques éclaircissements. Nous vivons dans un univers totalement réceptif. Mais vous devez comprendre que cela va plus loin qu'un simple échange mécanique. En effet, l'univers réagit toujours en vous donnant *plus* que ce que vous demandez. Et quand vous demanderez de vraies choses dans la vie, vous obtiendrez plus que vous penserez avoir demandé. Aussi devenir plus lucide équivaut à apprendre à demander plus... et apprendre à demander plus signifie recevoir plus que vous pourrez jamais l'imaginer.

Numéro trois. Je vous prie de mémoriser l'idée qui suit, car elle est reliée à cette réceptivité de l'univers dont nous venons de parler et que celui-ci a aussi ses contradictions. Si vous cessez de travailler à votre croissance, vous commencez à mourir. Aussi la raison pour laquelle vous devriez pratiquer la prière constante tient au fait que: *Les énergies gaspillées sont des occasions perdues.* Les unes égalent les autres. Si vous construisez un bateau du moi et montez à son bord et qu'il descend la rivière seulement pour disparaître, n'avez-vous pas alors investi votre énergie dans un projet qui n'a somme toute aucune valeur? N'aviez-vous pas, au moment où vous avez entrepris la construction de ce bateau, l'occasion de concentrer votre attention sur quelque chose d'éternel et de l'y garder au lieu de bâtir un moi dans un monde en constante disparition? Oui, c'est la vérité: les énergies gaspillées sont des occasions ratées.

Aussi réveillez-vous chaque fois que c'est possible! Faites-le maintenant! Sinon vous ne saurez jamais à quel point vous vous oubliez vous-même. Autrement dit, vous ne pouvez pas savoir à quel point vous vous oubliez tant que vous ne ferez pas un tout petit effort pour vous souvenir de vous-même. Mais vos efforts pour voir que l'oubli de vous-même domine votre vie et vous fait souffrir engendreront une nouvelle forme de mémoire *spirituelle;* une Présence qui grandit petit à petit en vous sous forme d'une lucidité nouvelle et puissante. Et si vous faites de votre mieux pour la faire passer avant toute chose dans votre vie, elle vous précédera... et non seulement vous empêchera de vous oublier mais vous aidera à vous relier de plus en plus avec la Vie céleste et éternelle. Aussi amorcez cette merveilleuse spirale vers le haut en vous exerçant à tourner votre attention vers l'intérieur. Vous découvrirez très vite que vouloir se tourner vers l'intérieur équivaut à vouloir s'élever.

Rappelez-vous les trois grandes raisons pour lesquelles vous devriez vous efforcer de prier constamment:

Un esprit sans surveillance est un sol fertile pour l'auto-destruction.

Les efforts conscients sont toujours récompensés par une lucidité accrue.

LES ÉNERGIES GASPILLÉES SONT DES OCCASIONS RATÉES.

Je ne peux vous dire à quel point il est important que vous deveniez l'explorateur, le chercheur, le découvreur de votre vie intérieure secrète et combien il est précieux de consacrer le plus de temps possible à cette tâche spirituelle. Comment saurez-vous que le Royaume des Cieux existe si vous consacrez toute votre énergie et votre temps au royaume terrestre? Comment saurez-vous que l'Éternel existe si vous n'essayez pas d'entrer dans le monde de l'éternité?

Leçons propices à l'auto-analyse

Nous essayons toujours de construire un moi qui ne disparaîtra pas à partir des éléments qui descendent le cours du temps, sans comprendre que rien de ce que l'on bâtit dans le temps n'est éternel.

❨

La seule souffrance psychologique qui existe dans cette existence physique est causée par le fait que nous confondons ce qui est temporaire avec ce qui est permanent.

❨

Nous essayons toujours de trouver un moi permanent, mais le moi qui cherche est lui-même éphémère.

❨

Choisissez ce qui est éternel en refusant de vous perdre dans le monde des pensées et du temps.

❨

Un esprit sans surveillance est un sol fertile pour l'autodestruction. Les efforts conscients sont toujours récompensés par une lucidité accrue. Les énergies gaspillées sont des occasions ratées.

LA PRIÈRE LA PLUS PUISSANTE, QUI EST PRESQUE OMNIPOTENTE, ET LE TRAVAIL LE PLUS MÉRITOIRE QUI SOIT EST LE RÉSULTAT D'UN ESPRIT CALME. PLUS IL EST CALME, PLUS LA PRIÈRE EST PUISSANTE, LOUABLE, PROFONDE, ÉLOQUENTE ET PARFAITE. TOUT EST POSSIBLE À L'ESPRIT CALME. QU'EST-CE QU'UN ESPRIT CALME? UN ESPRIT SUR LEQUEL RIEN NE PÈSE, QUE RIEN N'INQUIÈTE, QUI EST LIBRE DE TOUTE ENTRAVE ET DE TOUT ÉGOCENTRISME, QUI SE FOND EN ENTIER DANS LA VOLONTÉ DE DIEU ET N'A AUCUNE VOLONTÉ PROPRE.

MAÎTRE ECKHART

chapitre 11

Que faire pour que la vie vous soutienne tout à fait?

Combien de fois êtes-vous rentré chez vous, après une soirée ou une réunion d'affaire peut-être, et vous êtes-vous couché pour aussitôt prendre conscience d'un sentiment non désiré que vous avez immédiatement reconnu comme un visiteur familier? Dans ce cas-ci, ce visiteur reconnaissable est un sentiment qui hante la plupart d'entre nous aussi souvent que les saisons reviennent: «Où vais-je? Que fais-je? Qu'est-ce que je possède *vraiment*?» Aurez-vous l'honnêteté d'admettre cela?

Nous voilà donc aux prises avec un visiteur tenace qui se fait plus pressant certains jours et suscite en nous la question: «À quoi sert tout cela?» Vous savez, on peut vivre une foule d'expériences différentes dans ce genre-là. Par exemple, vous avez beau avoir tout l'argent que vous voulez, il suffit qu'on parle en mal de vous pour que vous soyez aussitôt assailli par des pensées et

> Priez – point à la ligne! N'espérez rien. Ou mieux, espérez rien. La prière nous lave de nos attentes et constitue une porte d'entrée pour la volonté divine, la providence et la vie elle-même. Qu'est-ce qui pourrait être plus utile que cet effort – ou cette absence d'effort!
>
> THOMAS MOORE

sentiments du genre: «À quoi me servent toutes mes richesses?»

J'essaie juste de vous faire comprendre que, tels que nous sommes en ce moment, un *rien* suffit à nous donner l'impression que notre vie est vide. La seule idée de cette vacuité anéantit *toute* sensation d'aisance et de bien-être. Avez-vous remarqué cela? Le point crucial de la présente introduction, c'est que *vous ne savez jamais* quand cette pensée, cette circonstance apparaîtra pour tout vous enlever; quand tout ce que vous appelez le travail accompli disparaît comme neige au soleil vous laissant avec cette pensée: «Tout cela ne m'a servi à rien.»

Si vous êtes comme la plupart des hommes et des femmes bien intentionnés, vous choisissez la bonne ligne de conduite, mais vous vous y prenez mal. Vous décidez de repartir à zéro. C'est la première leçon et elle est très importante. En un sens, il n'existe pas de prière plus essentielle que la volonté de recommencer votre vie à neuf. Mais vous devez vous y prendre de la bonne manière. Qu'entends-je par la «bonne» manière?

Pendant combien d'années encore direz-vous que tout cela n'a servi à rien et que vous apprenez de vos erreurs? Croyez-moi... chaque humain sur cette planète est absolument convaincu que ses erreurs le font grandir. Je vous prie d'examiner la vérité contenue dans l'idée suivante même si elle est contraire à ce que vous voudriez croire: vous grandissez peut-être en acquérant de nouvelles données psychologiques sur vous-même; vous trouvez *mille* raisons pour expliquer que vous n'aurez plus jamais d'ennuis et voyez beaucoup plus clair qu'avant dans toute l'affaire. Mais on ne peut faire autrement que conclure, pour chacune de ces expériences pénibles, que vous n'avez pas dégagé la *vraie leçon* qu'elles renfermaient. Et ce n'est qu'une question de temps, en général, avant qu'un *nouvel* événement vous pousse à vous interroger de nouveau sur le but de votre vie.

L'une des raisons secrètes pour laquelle le cheminement spirituel est si ardu tient au fait que chaque personne croit que la Vie a son propre dessein; et que l'on connaîtra le vrai succès si l'on découvre ce dessein supérieur et agit en accord avec lui. Nous échouons donc quand nous plaçons nos intentions *imaginaires* au-dessus des véritables desseins de la Vie. Ne voyons-nous pas que le sentiment que «cela n'a encore servi à rien» est la preuve que notre intention ne s'accordait pas avec celle de la Vie? Sinon les événements auraient été différents. Laissez-moi vous prouver que vous et moi ne faisons pas ce qu'il faut avec notre vie, ou du moins le faisons d'une manière incomplète. Si nous comprenons bien les conclusions qui suivent, nous pourrons nous y prendre de la *bonne* manière. Et nous recevrons de vraies récompenses.

Il est un fait qui peut approfondir notre éducation intérieure et constituer un encouragement constant: quand on sait comment regarder la vie, on peut trouver le Céleste même dans les choses les plus banales. Donc vous voyez... tout, absolument tout dans la vie a sa raison d'être. Commençons ici. Tout dans la vie a sa raison d'être. Tout! Prenons les abeilles. À quoi servent les abeilles? Elles servent, entre autres, à polliniser les fleurs. À quoi servent les arbres? Ils sont utiles à toutes les créatures, fournissant un abri aux oiseaux et divers aliments pour nous tous. Et la pluie, à quoi sert-elle? Elle est utile aux arbres et aux fleurs. J'essaie tout bonnement de vous montrer que, quand on regarde la vie, on ne trouve rien dans son immense réseau de relations qui ne serve à quelque chose d'autre. Chaque créature a sa raison d'être.

Il y a plus. Les abeilles et les fleurs, les oiseaux et les arbres, la pluie et la terre, toutes ces choses *se complètent* mutuellement. Comprenez-vous? Est-ce que l'abeille ne complète pas la fleur? Que seraient les fleurs sans les abeilles? Que serait toute chose sans son complément? Ce trait observable de la vie naturelle nous donne une leçon immense et vitale dans notre quête de la Vie divine. Permettez-moi de clarifier quelques-unes de ces leçons invisibles.

Lorsque *vous* faites *ce* à quoi vous êtes destiné, cette chose et la partie de vous qui lui est destinée *forment une entité complète*. Deux éléments en apparence disparates s'assemblent pour former une entité complète qui est plus que la somme de ses parties. Cela s'appelle un cercle naturel. Une chose est *destinée* à une autre chose dont elle a besoin et cette autre chose lui est *destinée* parce qu'elle en a besoin; quand les deux s'assemblent, quand l'«utile» comble le «besoin», on obtient une entité entière ou complète. Cela paraît simple et pourtant cela ne l'est pas. Quand nous observons les oiseaux, les abeilles, les fleurs, les arbres et tout le reste, ce que nous voyons dans ce monde physique, visible n'est qu'une portion infime du vrai Monde invisible.

Vous ne pouvez pas changer tant que vous n'aurez pas compris que vous vivez dans un monde qui est, en général, dix mille fois plus vaste dans sa partie invisible que dans sa portion visible. La dynamique extraordinaire des créatures qui sont destinées les unes aux autres et se complètent mutuellement pour former une toile de vie invisible laisse supposer que nous sommes entourés constamment d'un réseau de relations imperceptibles. Le premier principe clé à comprendre, c'est que chacun de nous, lorsqu'il fait ce à quoi il est destiné, obtient sa juste récompense, soit la joie de se sentir complet.

Pendant la fraction de seconde où vous faites ce que vous devez faire pour un de vos frères humains; au moment où vous vous abstenez consciemment et au prix de votre propre souffrance de blesser l'autre avec vos paroles coléreuses ou vos remarques cruelles; quand vous savez que vous ne devriez pas dépenser l'argent que vous n'avez pas ou que vous avez même; quand vous faites ce qu'il faut pour vous-même, vous êtes récompensé. Vous êtes récompensé parce que vous avez fait ce que vous étiez censé faire! Votre action consciente vous rend entier à cet instant. Et au même instant, vous êtes également encouragé à faire de nouveau ce que vous êtes censé faire, ce qui, en soi, est une autre forme de récompense!

Mais revenons au problème qui nous occupe: au début du présent chapitre, nous nous sommes penchés sur le phénomène de l'expérience récurrente qui consiste à ressentir que «tout cela n'a servi à rien».

Lorsque nous nous demandons «à quoi sert tout ça», nous repoussons souvent à tort notre sentiment de futilité sous prétexte qu'il s'agit seulement d'une mauvaise passe à traverser. Comprenez-moi bien. Il est vrai que vous devez passer à travers cela. Mais l'autre réalité invisible de la vie, c'est que vous n'êtes pas censé franchir la même mauvaise passe cinquante mille fois! Vous n'êtes pas obligé d'être tenaillé par le doute de soi cinquante mille fois! Vous n'êtes pas censé détester quelqu'un cinquante mille fois, puis ressentir la séparation et l'isolement dans lesquels vous jette la haine avant de vous dire: «Je sais que j'ai mal agi parce que le Christ a dit ceci» ou «J'aurais dû être plus avisé!» ou «Je devrais être différent». Et parce que vous vous êtes puni ou vous êtes identifié à une chose extérieure à vous-même qui, du moins vous l'espérez, est supérieure à votre faiblesse, vous croyez pendant un instant que vous agirez différemment la prochaine fois. Mais ce n'est pas le cas! Et aussi humiliante que puisse être cette leçon, il est essentiel que nous comprenions son essence.

Si je vous disais que vous devez d'abord reconnaître que la vie forme des boucles, vous le comprendriez n'est-ce pas? Parfois ces boucles non désirées de la vie durent moins d'une minute; mais elles peuvent durer une journée, un mois ou des années. Appréhendez-vous la boucle de dix ans? La boucle de la carrière? La boucle de la relation amoureuse? Qui fait que, avec incrédulité, vous vous retrouvez à la case départ et vous écriez: «Oh non!» Puis parce que vous ne saisissez pas la vraie raison pour laquelle vous vous trouvez de nouveau «là» («là» étant ce sentiment que vous ne vouliez pas ressentir la dernière fois), vous commettez la même erreur qu'avant: vous continuez de faire les mauvaises choses dans la vie.

Avant que la Vérité puisse vous libérer, vous devez vouloir la trouver. Cependant, nous ne comprenons pas toujours ce qu'est cette Vérité en rapport avec notre vie de tous les jours et ses divers aspects. Et si nous sommes dépourvus de ce savoir spirituel essentiel, c'est que, chaque fois que nous faisons autre chose que ce que nous sommes censés faire, surgit en nous une partie de nous «Madame Je sais tout» qui déclare: «Ah... je vois clair *maintenant!*» Et nous la croyons! De sorte que nous redevenons aussitôt le moi qui redéfinit d'une manière commode ce que *nous devrions être...* Comme si le moi qui nous parle connaissait sa raison d'être et comment ce sera différent la prochaine fois. Foutaises!

Il est essentiel que nous nous rendions compte de notre véritable condition afin d'en arriver à nous dire: «Je m'efforce de changer depuis cinq, dix, vingt et même quarante ans, et je ne suis pas encore un homme Nouveau (ou une femme Nouvelle).» Lorsque vous cesserez de repousser cette réalité, vous serez prêt pour la première fois à faire ce que vous n'avez encore jamais fait auparavant... C'est-à-dire vous consacrer à un but qui vous transformera.

Il y avait une fois un monde lointain dans lequel des êtres vivaient et travaillaient; jouaient et aimaient; et vivaient en général en faisant de leur mieux. Or les êtres de cette planète avaient ceci de particulier que, vers l'âge de quatre ou cinq ans, il leur poussait sur le front une sorte de casque orné d'un miroir. Ce miroir, tourné vers le visage de la personne, lui permettait de contempler sans cesse sa personne préférée! Imaginez cela! Il suffit de regarder dans ce miroir pour être guidé sans le moindre effort. Le miroir vous offre des choix et peut même vous évaluer.

Cette histoire est une métaphore illustrant la manière dont une certaine partie de nous-mêmes ne cesse jamais de penser à nous. Tu parles d'une relation interminable! Vous n'êtes jamais seul. Une pensée ou une autre est toujours en train de vous guider, remplissant tout l'espace à chaque fraction de seconde. Voilà comment vivaient ces gens avec leurs réflecteurs intégrés. Mais comme c'est le cas pour certains d'entre nous dans ce monde-ci, le héros de notre histoire – même si tous les gens qu'il connaissait *semblaient* satisfaits de leur vie – ne pouvait s'empêcher de penser: «Il y a quelque chose qui *cloche*.»

Pendant de nombreuses années, il avait vécu certaines expériences, tout comme vous et moi, se consacrant à ceci et à cela, jour après jour. Chaque nouveau projet renfermait la promesse d'une satisfaction prochaine sans jamais lui apporter le contentement auquel son cœur aspirait. Aussi s'écria-t-il un jour: «Mon Dieu, où cela s'arrêtera-t-il? Je ne trouve pas ce que je cherche dans mon miroir, mais je ne sais pas où regarder sinon dans mon miroir.» Il se sentait trahi. C'est ainsi que le héros de notre histoire adhéra aux M.A. (Miroirs anonymes), un groupe destiné aux gens qui en avaient marre de regarder dans leur miroir! Il essaya toutes les techniques, mais rien ne changeait!

Un jour, il aperçut une annonce à l'allure innocente dans le journal local. Elle disait simplement: «Vous en avez marre de regarder au mauvais endroit?» Cette annonce l'attira. Il se rendit à l'une des rencontres. À son arrivée, quelques personnes étaient déjà là et il fut un peu décontenancé par le ton sérieux de l'orateur. Mais comme il voulait de l'aide plus qu'entendre ce qu'il voulait entendre, il concentra son attention sur l'orateur. Voici ce qu'il entendit:

«Vous devez apprendre à vivre pour autre chose que ce pour quoi vous vivez actuellement. Mais avant de pouvoir espérer commettre cette action essentielle et susceptible de transformer votre vie, vous devez comprendre que, tel que vous êtes actuellement, il y a une partie de vous qui ne peut pas faire autre chose tant que vous ne modifierez pas vos *priorités*. Cela seul vous aidera... *en autant que* vous fassiez des efforts.» L'orateur observa le petit groupe pendant quelques instants, déchiffrant les diverses expressions, puis il poursuivit:

«Chacun d'entre vous a, sur la tête, un miroir spécial dans lequel il peut toujours se regarder. Je veux que vous y inscriviez une petite pensée ou une prière simple comme: «Ma vie T'appartient» ou «Plus de Toi, moins de moi». Inscrivez une pensée dans votre miroir afin que, chaque fois que vous y jetterez un coup d'œil, vous puissiez vous voir vous mais aussi la petite phrase que vous y avez inscrite pour vous rappeler que vous êtes censé regarder ailleurs.»

«Et, d'ajouter l'orateur, même si vous percevez la sagesse de cette nouvelle technique spirituelle et décidez de l'essayer, il y a autre chose que vous devez savoir. Il existe en vous des parties inconnues qui se mettront en quatre pour vous faire oublier non seulement cet exercice mais la raison pour laquelle vous le faites en premier lieu. Parce que telle est la nature de la partie autoréflective de nous qui aime le miroir. Mais, poursuivit-il en mesurant ses paroles, peut-être qu'un jour ou deux après avoir oublié votre intention toute fraîche de regarder ailleurs qu'en vous-même – quand vous en aurez assez de ce sentiment de vacuité que vous procure la contemplation de vous-même –, vous vous souviendrez; et repartirez à zéro. Inscrivez une autre phrase dans votre miroir pour vous rappeler votre nouveau But. Et recommencez encore et encore. Travaillez-y jusqu'à ce qu'il se produise en votre for intérieur une transformation qui ne peut être décrite en mots, mais que vous comprendrez peu à peu avec gratitude.»

Sur ces mots, l'orateur prit une profonde inspiration et plongea son regard dans les yeux de notre héros malheureux. À cet instant précis un contact fut établi. Puis, comme s'il s'adressait directement à lui, il conclut son discours sur les paroles suivantes:

«Quand vous commencerez à vivre pour Dieu, pour la Vérité... *avant* de vivre pour vous-même, cette Vérité, Dieu commenceront à vivre pour vous. Ils commenceront à vivre à l'intérieur de vous et feront ce que vous n'avez jamais pu faire pour vous-même. Ils vous donneront l'impression d'être enfin sur la bonne voie parce que vous faites ce que vous êtes censé faire.»

Laissez-moi vous expliquer la sorte d'exercice et de prière dont il est question ici. Notre esprit est totalement indiscipliné. Je ne veux pas dire par là que nous n'arrivons pas à nous concentrer si nécessaire; ni que nous sommes incapables de pratiquer une activité mentale spécialisée. Par «indiscipliné», je veux dire que notre esprit ne nous appartient pas. *Il appartient à lui-même.* Notre tâche consiste à constater cet étrange égocentrisme psychique puis à modifier consciemment l'inscription qui figure dans notre «miroir». Afin que, lorsque l'esprit traverse ce qu'il traverse, et que nous tournons notre attention vers l'écran de nos pensées, nous voyions au *même* moment une petite prière qui nous aide à prendre conscience de ce que nous voulons *vraiment* à cet instant.

Nous avons déjà mentionné quelques-unes de ces courtes prières personnelles un peu plus tôt, mais pour vous rafraîchir la mémoire, en voici quelques-unes: «Sois ma Vie», «Plus de Toi, moins de moi». En inscrivant de manière réfléchie ces prières sur le miroir de votre esprit – avec l'intention de vous laisser guider par elles –, vous transformerez votre vie en vous consacrant à son véritable but.

Permettez-moi de vous expliquer un dernier point. Pourquoi s'alimente-t-on? À quoi servent les relations? À quoi sert de gagner de l'argent? De tenir la main d'un être cher? En êtes-vous certain? Ces aspects de notre vie n'ont-ils pas d'autre dessein que celui que nous avons fini par leur prêter machinalement? Et *si* vous réfléchissez à cette question, n'oubliez pas que vous et moi avons déjà vécu *pour* dix mille choses dans cette vie et qu'aucune de ces dix mille choses ne nous a jamais rien donné... sauf le vain espoir que vivre dans un but *différent* le lendemain finira peut-être par nous transformer.

Donc, je dis que vous pouvez utiliser chaque moment de votre vie pour vous consacrer à *votre* Vrai but. De sorte que, quand vous mangez, marchez, parlez ou faites quoi que ce soit, votre brève prière ne cesse de traverser votre esprit. Vous l'avez inscrite sur le miroir de votre esprit afin qu'au milieu de n'importe quel événement ou conversation, vous puissiez la voir et vous rappeler votre désir de vivre pour un état supérieur.

L'enseignement de la Vérité nous a depuis longtemps révélé que nous étions *destinés* à un but supérieur. Dans ce cas-ci, cela signifie comprendre le fonctionnement mécanique de l'esprit, du miroir, du processus de pensée et y inscrire une pensée qui vous rappelle, quand vous vous y cherchez, de regarder ailleurs. Cet exercice et la lucidité nouvelle qu'il engendre vous rappelleront de vivre pour Dieu et vous aideront à comprendre qu'à l'heure actuelle, vous ne vivez pas pour ce que vous croyez.

Si vous demandez à quelqu'un: «Vivez-vous pour la Vérité? Vivez-vous pour Dieu?», la personne répondra oui d'une manière ou d'une autre.

Et si vous lui demandez: «Mais qu'avez-vous fait aujourd'hui? Avez-vous vécu pour la Vérité... pour Dieu pendant que vous mangiez?»

«Non.»

«Viviez-vous pour la Vérité... pour Dieu pendant que vous conduisiez votre voiture ou tondiez le gazon?»

«Non.»

«Viviez-vous pour la Vérité... pour Dieu quand vous étiez assis à votre bureau ou dirigiez vos affaires?»

«Non.»

«Viviez-vous pour la Vérité quand vous avez fait votre promenade ou pendant que vous attendiez l'autobus?»

«Non.»

«Eh bien! quand viviez-vous pour Cela?»

«Oh, j'ai vécu pour cela après m'être mis en colère. Après avoir entendu la mauvaise nouvelle. Quand je suis rentré chez moi et que, en repassant ma journée en revue, j'ai compris qu'encore une fois j'avais vécu pour dix mille choses dont aucune ne m'apportait quoi que ce soit, j'ai pensé à cela.»

Je vous dis que nous devons vivre pour la Vie de vérité, pour la Vie divine, jour et nuit. Et ce nouveau désir, cette volonté nouvelle doit être continuellement présente en nous afin de nous rappeler la raison d'être de toute chose.

Et je dois vous préciser un dernier point: amorcer cette nouvelle relation avec la Vie est le plaisir – spirituel – le plus merveilleux qui soit. Quand vous commencerez à comprendre que ce qui vous attend – dans ce que vous avez toujours considéré comme votre avenir – ne se trouve pas vraiment *devant* vous, mais à l'*intérieur* de vous, vous vivrez pour Cela.

Je vous assure que si vous pratiquez cet exercice spirituel spécial, vous observerez des changements en vous. Tout d'abord, vous éprouverez un sentiment croissant d'humilité et cette humilité est saine spirituellement... parce que vous constaterez que vous ne pouvez pas vous rappeler de vivre pour autre chose que votre faux moi! Quelle merveilleuse découverte que de voir que votre mental vit pour *lui-même*; et la nature qu'il incarne s'oppose à l'aspiration de votre cœur – qui est d'être entier... d'être un être humain nouveau et spirituellement éveillé.

Leçons propices à l'auto-analyse

Vous ne changerez pas tant que vous ne comprendrez pas que vous vivez dans un monde qui est, en général, inconcevablement plus grand dans son invisibilité que dans sa visibilité.

❨

Il y a échec quand les hommes et les femmes font passer leurs intentions *imaginaires* avant les véritables desseins de la Vie.

❨

Le sentiment que tout va bien dans votre vie est étroitement lié à votre capacité de vous consacrer à tout ce qui est bien dans votre vie.

❨

Lorsque vous faites ce à quoi vous êtes destiné, cette activité et la partie de vous qui lui est destinée forment une entité complète.

❨

Avant que la Vérité puisse vous libérer de vous-même, vous devez vivre pour la Vérité plus que pour ce que vous avez toujours considéré comme votre moi.

L'ÂME DE CHACUN DEVRAIT RECHERCHER UNE UNION INTIME AVEC L'ÂME DE L'UNIVERS.

NOVALIS

Dix façons de vivre la vie de Dieu

Lorsque vous reconnaissez votre besoin d'intégrer Dieu à votre vie, vous Lui ouvrez la porte. Et comme Il fait toujours le premier pas, ce qui peut sembler <u>votre</u> besoin est en fait <u>Son</u> invitation secrète, qui prend l'apparence d'une soif du cœur que rien ne peut étancher. Votre réaction à cette invitation intérieure détermine la rapidité avec laquelle Il se fera connaître à vous. La meilleure réaction *consiste à attendre,* car dans cette attente intérieure, vous indiquez que *votre désir d'être réceptif* est plus fort que l'ancienne ancre que constituaient vos soucis terrestres. Et si ce degré élevé de réceptivité au Soi Supérieur vous paraissait inaccessible en ce moment, il n'en sera pas toujours ainsi, car vous pouvez le *modifier.* Ce qui nous amène au but de la série d'instructions spéciales présentées ci-dessous: renforcer votre mémoire spirituelle.

Qu'est-ce que la mémoire spirituelle?

C'est la partie de votre esprit à travers laquelle Dieu vous rappelle *Sa* Vie. Quelques minutes de réflexion démontreront la véracité de cette importante constatation spirituelle.

Dans votre quête d'une Vie supérieure, vous avez sans nul doute découvert une Vérité que vous avez l'impression d'avoir connue toute votre vie mais aviez oubliée! Cette merveilleuse sensation d'éveil est celle que l'on ressent quand on rencontre par hasard un ami que l'on avait perdu de vue depuis longtemps. En un sens, c'est exactement ce qui se produit; car chaque fois que vous vous rappelez une vérité supérieure, que vous entrez de nouveau en contact avec une Vérité que vous aviez perdue, *vous rafraîchissez également votre relation avec la source de cette Vérité:* Dieu. Formulons cette découverte d'une manière plus succincte: en renforçant votre mémoire spirituelle, *vous prenez conscience de l'Esprit qui détient cette Vérité* et du fait qu'il fait partie de l'Esprit de Dieu. Donc chaque fois que nous nous souvenons de Dieu, c'est comme si nous recevions et acceptions l'invitation de Dieu de vivre Sa Vie.

Faites de votre mieux pour pratiquer les dix exercices ci-dessous au moment opportun sans vous soucier le moindrement des résultats. Vous ne pouvez pas échouer. Chaque effort que vous faites pour vous rappeler Dieu accentue l'intérêt qu'Il vous porte. Et Dieu obtient toujours ce qu'Il veut!

1. Évoquer le souvenir de Dieu dans la conduite de vos affaires vous rappellera que, non seulement il est impossible de servir deux maîtres à la fois et d'espérer réussir, mais que le Vrai succès viendra à vous quand vous verrez la vérité de ceci.

2. Évoquer le souvenir de Dieu quand on vous fait des éloges vous empêchera d'oublier que la lumière qui vous a peut-être valu ces compliments n'est que le cadeau du reflet de Dieu.

3. Évoquer le souvenir de Dieu au moment où vous vous condamnez vous rappelle que vous êtes beaucoup trop dur pour être votre propre juge et qu'il existe une Cour d'appel Supérieure dont le verdict vous ordonne de recommencer votre vie à neuf.

4. Évoquer le souvenir de Dieu pendant que vous mangez vous empêchera de vous abandonner à cette nature qui vous abandonne toujours <u>après</u> avoir assouvi son désir.

5. Évoquer le souvenir de Dieu pendant vos voyages vous révélera que, où que vous alliez, votre maison est toujours là où se trouve votre cœur et que nul endroit n'est jamais meilleur ou pire que ce que *vous* y contribuez.

6. Évoquer le souvenir de Dieu pendant que vos propres pensées et sentiments vous fustigent vous fait comprendre que vous n'êtes pas obligé de rester dehors sous la pluie.

7. Évoquer le souvenir de Dieu quand vous avez peur ou souffrez d'une perte vous rappellera que vous avez le choix de ce à quoi vous vous accrochez et qu'en laissant aller ce qui vous tire vers le bas, vous vous tournerez automatiquement vers une direction plus élevée et plus heureuse.

8. Évoquer le souvenir de Dieu au milieu d'un conflit ou d'une querelle met en lumière le fait que vous pouvez vous battre pour défendre soit une chose passagère, soit votre liberté spirituelle en vous éloignant de cette nature intérieure névrosée et de son besoin compulsif de gagner.

9. Évoquer le souvenir de Dieu pendant que vous vous acquittez des tâches qui vous rebutent vous met en contact avec une partie de vous qui est toujours heureuse de se trouver là où elle est parce qu'elle est toujours contente d'être qui elle est.

10. Évoquer le souvenir de Dieu quand vous doutez que cela vous fasse du bien place votre soif de Vérité au-dessus de vos doutes sur votre sincérité, ce qui est le début de la Vraie sincérité spirituelle.

pour les amoureux de Dieu

Merci mon Dieu
pour les amoureux de Dieu
Leurs chants se font entendre...
Dans l'obscurité, dans les allées
Par-dessus les mots d'avertissement.

Merci mon Dieu
pour les amoureux de Dieu
Dont les mots brillent à travers
Toutes les ombres qui s'attardent
Dans mon cœur qui doute.

Merci mon Dieu
pour les amoureux de Dieu
Qui continuent d'aimer malgré...
Le froid solitaire qui vous glace jusqu'à la moelle
Et qui est Sa nuit dans le désert.

Merci mon Dieu
pour les amoureux de Dieu
Qui ont payé la dette...
Et dont les efforts pour se rappeler
Nous empêchent d'oublier.

GUY FINLEY

Table des matières

Imprimerie gagné ltée

IMPRIMÉ AU CANADA